Avertissement :
Nous avons tous à cœur de faire découvrir à nos enfants les grands textes qui ont bercé notre jeunesse. Mais ils sont parfois longs, ou difficiles !
Dans cette collection, les textes originaux des classiques sont proposés au lecteur. Certains passages ont été supprimés ; quelques-uns – en italique – ont été réécrits par les meilleurs auteurs contemporains pour la jeunesse.

Responsable de la collection : Frédérique Guillard

Vingt Mille Lieues sous les mers est paru pour la première fois en 1869.
© Éditions Nathan (Paris-France), 1994 pour la présente édition.

© NATHAN/VUEF, 2001

JULES VERNE

VINGT MILLE LIEUES SOUS LES MERS

Texte abrégé par Yves-Marie Clément

Illustrations de Gabor Szittya

NATHAN

15 16

A

B

C

5 NOV. 1867
NAVTILVS

E

J

K

16

UN NARVAL GÉANT

1

L'ANNÉE 1866 fut marquée par un événement bizarre, un phénomène inexpliqué et inexplicable que personne n'a sans doute oublié. Sans parler des rumeurs qui agitaient les populations des ports et surexcitaient l'esprit public à l'intérieur des continents, les gens de mer furent particulièrement émus. Les négociants, armateurs[1], capitaines de navires, skippers et masters[2] de l'Europe et de l'Amérique, officiers des marines militaires de tous pays, et, après eux, les gouvernements des divers États des deux continents, se préoccupèrent de ce fait au plus haut point.

---

1. Armateur *n. m.* : celui qui équipe (arme) des navires de commerce ou de pêche.
2. Master, *n. m.* mot anglais : capitaine, commandant d'un bateau de pêche.

En effet, depuis quelque temps, plusieurs navires s'étaient rencontrés sur mer avec « une chose énorme », un objet long, fusiforme[1], parfois phosphorescent, infiniment plus vaste et plus rapide qu'une baleine.

Alors éclata l'interminable polémique[2] des crédules et des incrédules dans les sociétés savantes et les journaux scientifiques. La « question du monstre » enflamma les esprits.

Le 5 mars 1867, le *Moravian* de la Montreal Ocean Company, se trouvant pendant la nuit par 27° 30' de latitude et 72° 15' de longitude, heurta de sa hanche de tribord un roc qu'aucune carte ne marquait dans ces parages. Sous l'effort combiné du vent et de ses quatre cents chevaux-vapeur, il marchait à la vitesse de treize nœuds[3]. Nul doute que sans la qualité supérieure de sa coque, le

---

1. Fusiforme, *adj.* : qui a la forme d'une fusée.

2. Polémique, *n. f.* : discussion animée entre des personnes qui ne sont pas du même avis.

3. Nœud, *n. m.* : unité de vitesse pour les navires et les avions correspondant à 1 mille marin à l'heure, soit 1 852 m/h.

Moravian, ouvert au choc, ne se fût englouti avec les deux cent trente-sept passagers qu'il ramenait du Canada. L'accident était arrivé vers cinq heures du matin, lorsque le jour commençait à poindre. Les officiers de quart se précipitèrent à l'arrière du bâtiment. Ils examinèrent l'océan avec la plus scrupuleuse attention. Ils ne virent rien, si ce n'est un fort remous qui brisait à trois encablures[1], comme si les nappes liquides eussent été violemment battues. Le relèvement du lieu fut exactement pris, et le *Moravian* continua sa route sans avaries apparentes. Avait-il heurté une roche sous-marine, ou quelque énorme épave d'un naufrage ? On ne put le savoir ; mais, examen fait de sa carène dans les bassins de radoub[2], il fut reconnu qu'une partie de la quille avait été brisée.

---

1. Encablure, *n. f.* : ancienne mesure de longueur utilisée pour les câbles des ancres qui valait environ 200 m.

2. Bassin de radoub, *n. m.* : bassin dans lequel on répare la coque d'un navire.

À l'époque où ces événements se produisirent, je revenais d'une exploration scientifique entreprise dans les mauvaises terres du Nebraska, aux États-Unis. En ma qualité de professeur suppléant au Muséum d'histoire naturelle de Paris, le gouvernement français m'avait joint à cette expédition. Après six mois passés dans le Nebraska, chargé de précieuses collections, j'arrivai à New York vers la fin de mars. Mon départ pour la France était fixé aux premiers jours de mai. Je m'occupais donc, en attendant, de classer mes richesses minéralogiques, botaniques et zoologiques, quand arriva l'incident du *Scotia*.

Ce bâtiment avait miraculeusement rejoint le port après avoir été perforé de part et d'autre par « le monstre », dont les témoignages rapportaient qu'il était doué d'une vitesse de déplacement phénoménale.

J'étais parfaitement au courant de la question à l'ordre du jour, et comment ne l'aurais-je pas été ? J'avais lu et relu tous les journaux américains et européens sans être plus avancé. Ce mystère m'intriguait. Dans l'impossibilité de me former une opinion, je flottais d'un extrême à l'autre.

À mon arrivée à New York, la question brûlait. L'hypothèse de l'îlot flottant, de l'écueil insaisissable, soutenue par quelques esprits peu compétents, était absolument abandonnée. Et, en effet, à moins que cet écueil n'eût une machine dans le ventre, comment pouvait-il se déplacer avec une rapidité si prodigieuse ?

Restaient donc deux solutions possibles de la question, qui créaient deux clans très distincts de partisans : d'un côté, ceux qui tenaient pour un monstre d'une force colossale ; de l'autre, ceux qui tenaient pour un bateau « sous-marin » d'une extrême puissance motrice.

Je flottais d'un extrême à l'autre.

Où et quand l'eût-on fait construire, et comment aurait-on tenu cette construction secrète ?

À mon arrivée à New York, plusieurs personnes m'avaient fait l'honneur de me consulter sur le phénomène en question.

Je déclarai à la presse que je serais disposé à admettre l'existence d'un narval [1] *aux dimensions gigantesques, capable d'éperonner des navires.*

On prépara aussitôt une expédition contre le narval. Une frégate [2] *de grande marche, l'*Abraham Lincoln, *prendrait la mer au plus tôt.*

Destination : les mers septentrionales [3] *du*

---

1. Narval, *n. m.* : grand mammifère ayant la forme d'un poisson de l'océan Glacial arctique. Chez le mâle, le développement considérable de la canine gauche devient une longue défense horizontale.

2. Frégate, *n. f.* : vaisseau de guerre à trois mâts ne portant pas plus de soixante canons.

3. Septentrional, *adj.* : du nord, au nord.

Pacifique. Là-même où l'animal avait été aperçu pour la dernière fois.

Trois heures avant que l'*Abraham Lincoln* ne quittât le *pier*[1] de Brooklyn, je reçus une lettre libellée en ces termes :

Monsieur Aronnax,
professeur au Muséum de Paris,
Fifth Avenue Hotel. New York.

Monsieur,

Si vous voulez vous joindre à l'expédition de l'*Abraham Lincoln*, le gouvernement de l'Union verra avec plaisir que la France soit représentée par vous dans cette entreprise. Le commandant Farragut tient une cabine à votre disposition.

Très cordialement, votre

J. B. HOBSON,
Secrétaire de la Marine.

---

1. *Pier,* mot anglais, *n. m.* : sorte de quai spécial à chaque navire.

LE DÉPART

2

Trois secondes avant l'arrivée de la lettre de J. B. Hobson, je ne songeais pas plus à poursuivre la licorne[1] qu'à tenter le passage du Nord-Ouest. Trois secondes après avoir lu la lettre de l'honorable secrétaire de la marine, je comprenais enfin que ma véritable vocation, l'unique but de ma vie, était de chasser ce monstre inquiétant et d'en purger le monde.

« Conseil ! » criai-je d'une voix impatiente.

Conseil était mon domestique. Un garçon dévoué qui m'accompagnait dans tous mes voyages ; un brave Flamand que j'aimais et qui me le rendait bien ; un être flegmatique[2]

---

1. Licorne, *n. f.* : animal fabuleux, cheval portant une corne unique au milieu du front. Ici, désigne le narval.

2. Flegmatique, *adj.* : qui a un caractère calme et lent ; qui contrôle facilement ses émotions.

par nature, régulier par principe, zélé par habitude, s'étonnant peu des surprises de la vie, très adroit de ses mains, apte à tout service, et, en dépit de son nom, ne donnant jamais de conseils – même quand on ne lui en demandait pas.

Conseil, jusqu'ici et depuis dix ans, m'avait suivi partout où m'entraînait la science.

Ce garçon avait trente ans, et son âge était à celui de son maître comme quinze est à vingt. Qu'on m'excuse de dire ainsi que j'avais quarante ans.

Conseil parut.

« Monsieur m'appelle ? dit-il en entrant.

– Oui, mon garçon. Prépare-moi, préparetoi. Nous partons dans deux heures.

– Comme il plaira à monsieur, répondit tranquillement Conseil.

– Pas un instant à perdre. Serre dans ma malle tous mes ustensiles de voyage, des habits, des chemises, des chaussettes, sans compter mais le plus que tu pourras, et hâte-toi !

– Et les collections de monsieur ? fit observer Conseil.

– On s'en occupera plus tard.

– Quoi ! les archiotherium, les hyracotherium, les oréodons, les chéropotamus et autres carcasses de monsieur ?

– On les gardera à l'hôtel.

– Et le babiroussa vivant de monsieur ?

– On le nourrira pendant notre absence. D'ailleurs, je donnerai l'ordre de nous expédier en France notre ménagerie.

– Nous ne retournons donc pas à Paris ? demanda Conseil.

– Si... certainement..., répondis-je évasivement, mais en faisant un crochet.

– Le crochet qui plaira à monsieur.

– Oh ! ce sera peu de chose ! Un chemin un peu moins direct, voilà tout. Nous prenons passage sur l'*Abraham Lincoln*.

– Comme il conviendra à monsieur, répondit paisiblement Conseil.

– Tu sais, mon ami, il s'agit du monstre...

du fameux narval… Nous allons en purger les mers !… L'auteur d'un ouvrage in-quarto en deux volumes sur les *Mystères des grands fonds sous-marins* ne peut se dispenser de s'embarquer avec le commandant Farragut. Mission glorieuse, mais… dangereuse aussi ! On ne sait pas où l'on va ! Ces bêtes-là peuvent être très capricieuses ! Mais nous irons quand même ! Nous avons un commandant qui n'a pas froid aux yeux !…

Mission glorieuse, mais... dangereuse aussi !

– Comme fera monsieur, je ferai, répondit Conseil.

– Et songes-y bien ! car je ne veux rien te cacher. C'est là un de ces voyages dont on ne revient pas toujours !

– Comme il plaira à monsieur. »

Une heure plus tard, nous avions traversé New York.

Nos bagages furent immédiatement transportés sur le pont de la frégate. Je me précipitai à bord. Je demandai le commandant Farragut. Un des matelots me conduisit sur la dunette[1], où je me trouvai en présence d'un officier de bonne mine qui me tendit la main.

« Monsieur Pierre Aronnax ? me dit-il.

– Lui-même, répondis-je. Le commandant Farragut ?

– En personne. Soyez le bienvenu, monsieur le professeur. »

Le commandant Farragut fit larguer les amarres qui retenaient l'*Abraham Lincoln* au *pier* de Brooklyn.

« *Go ahead* », cria-t-il. La vapeur siffla. Les branches de l'hélice battirent les flots avec une rapidité croissante, et l'*Abraham Lincoln* s'avança majestueusement au milieu d'une centaine de ferry-boats et de *tenders*[2] chargés de spectateurs, qui lui faisaient cortège.

Nous irons quand même !

---

1. Dunette, *n. f.* : construction située au-dessus du pont arrière d'un navire.

2. *Tender*, mot anglais, *n. m.* : petit bateau à vapeur, ici réservé au transport de passagers.

*Le commandant
Farragut était
un bon marin,
digne de la
frégate qu'il
commandait.*

NED LAND   3

L<small>E</small> commandant Farragut était un bon marin, digne de la frégate qu'il commandait. Son navire et lui ne faisaient qu'un. Il en était l'âme. Sur la question du cétacé [1], aucun doute ne s'élevait dans son esprit, et il ne permettait pas que l'existence de l'animal fût discutée à son bord. Il y croyait. Le monstre existait, il en délivrerait les mers, il l'avait juré.

L'*Abraham Lincoln* ne manquait d'aucun moyen de destruction. Mais il avait mieux encore. Il avait Ned Land, le roi des harponneurs.

Ned Land était un Canadien, d'une habileté peu commune. Adresse et sang-froid, audace

---

1. Cétacé, *n. m.* : mammifère aquatique dont le corps a la forme d'un poisson. Les baleines, cachalots, narvals sont des cétacés.

et ruse, il possédait ces qualités à un degré supérieur, et il fallait être une baleine bien maligne, ou un cachalot singulièrement astucieux pour échapper à son coup de harpon.

Ned Land avait environ quarante ans. C'était un homme de grande taille, l'air grave, violent parfois, et très rageur quand on le contrariait.

Je crois que le commandant Farragut avait sagement fait d'engager cet homme à son bord. Il valait tout l'équipage, à lui seul, pour l'œil et le bras.

Le 30 juillet, trois semaines après notre départ, Ned Land et moi en vînmes à parler du monstre. Il ne paraissait pas y croire. Je tentai de le convaincre en lui expliquant qu'un animal assez puissant pour avoir entamé la coque des bateaux devait avoir des dimensions colossales. Je lui disais en outre que de tels monstres devaient forcément exis-

*ter dans les profondeurs, là où des orga-
nismes justement gigantesques pouvaient
résister sans mal aux fortes pressions sous-
marines. Notre monstre était l'un de ceux-là.
Mais Ned Land continua à douter de son
existence.*

Pendant trois mois, trois mois dont
chaque jour durait un siècle ! l'*Abraham
Lincoln* sillonna toutes les mers septentrionales du Pacifique, courant aux baleines
signalées, faisant de brusques écarts de
route, virant subitement d'un bord sur
l'autre, s'arrêtant soudain, forçant ou renversant sa vapeur, coup sur coup, au risque
de déniveler[1] sa machine, et il ne laissa pas
un point inexploré des rivages du Japon à la
côte américaine. Et rien ! rien que l'immen-
sité des flots déserts !

---

1. Déniveler sa machine : dérégler le moteur.

Le découragement s'empara d'abord des esprits, et ouvrit une brèche à l'incrédulité.

Le commandant Farragut demanda trois jours de patience. Si dans le délai de trois jours le monstre n'avait pas paru, l'homme de barre donnerait trois tours de roue, et l'*Abraham Lincoln* ferait route vers les mers européennes.

Le 5 novembre à midi, au milieu du silence général, une voix venait de se faire entendre. C'était la voix de Ned Land, et Ned Land s'écriait :

« Ohé ! la chose en question, sous le vent, par le travers à nous ! »

LA RENCONTRE 4

À ce cri, l'équipage entier se précipita vers le harponneur, commandant, officiers, maîtres, matelots, mousses, jusqu'aux ingénieurs qui quittèrent leur machine, jusqu'aux chauffeurs qui abandonnèrent leurs fourneaux[1]. L'ordre de stopper avait été donné, et la frégate ne courait plus que sur son erre[2].

L'obscurité était profonde alors, et quelque bons que fussent les yeux du Canadien, je me demandais comment il avait vu et ce qu'il avait pu voir. Mon cœur battait à se rompre.

Mais Ned Land ne s'était pas trompé, et

---

1. Fourneau, *n. m.* : appareil où l'on brûle du bois, du charbon pour alimenter un moteur à vapeur.
2. Erre, *n. f.* : vitesse que le bateau conserve une fois le moteur coupé.

tous, nous aperçûmes l'objet qu'il indiquait de la main.

À deux encablures de l'*Abraham Lincoln* et de sa hanche de tribord, la mer semblait être illuminée par-dessous. Le monstre, immergé à quelques toises[1] de la surface des eaux, projetait cet éclat très intense, mais inexplicable, que mentionnaient les rapports de plusieurs capitaines.

« Ce n'est qu'une agglomération de molécules phosphorescentes, s'écria l'un des officiers.

– Non, monsieur, répliquai-je avec conviction. Jamais les pholades[2] ne produisent une si puissante lumière. D'ailleurs, voyez ! Il s'élance sur nous ! »

Un cri s'éleva de la frégate.

« Silence ! dit le commandant Farragut. La

---

1. Toise, *n. f.* : ancienne mesure de longueur valant six pieds, soit près de deux mètres.
2. Pholade, *n. f.* : mot scientifique pour désigner un animal à corps mou, pouvant s'abriter sous une coquille ; ex. : la moule.

barre au vent, toute ! Machine en arrière ! »

Les matelots se précipitèrent à la barre, les ingénieurs à leur machine. La vapeur fut immédiatement renversée, et l'*Abraham Lincoln*, abattant sur bâbord, décrivit un demi-cercle.

Nous étions haletants. La stupéfaction, bien plus que la crainte, nous tenait muets et immobiles.

*L'animal fit le tour de la frégate, puis il alla prendre son élan, et fonça subitement vers l'*Abraham Lincoln *avec une effrayante rapidité. Il s'arrêta brusquement à vingt pieds*[1] *et s'éteignit.*

À chaque instant, une collision pouvait se produire, qui nous eût été fatale.

Tout l'équipage resta sur pied pendant la nuit. Personne ne songea à dormir. L'*Abraham*

---

1. Pied, *n. m.* : ancienne mesure de longueur : 32,4 cm.

Lincoln, ne pouvant lutter de vitesse, avait modéré sa marche et se tenait sous petite vapeur. De son côté, le narval, imitant la frégate, se laissait bercer au gré des lames, et semblait décidé à ne point abandonner le théâtre de la lutte.

Vers minuit, cependant, il disparut. Avait-il fui ? On resta sur le qui-vive jusqu'au jour, et l'on se prépara au combat. Les engins de pêche furent disposés le long des bastingages.

Ned Land s'était contenté d'affûter son harpon, arme terrible dans sa main.

À six heures, l'aube commença à poindre. À sept heures, une brume matinale très épaisse rétrécissait l'horizon et les meilleures lorgnettes ne pouvaient la percer.

Je me hissai jusqu'aux barres d'artimon [1]. Quelques officiers s'étaient déjà perchés à la tête des mâts.

On resta sur le qui-vive jusqu'au jour.

---

1. Barres d'artimon : barres supportant les voiles du mât d'artimon (mât situé à l'arrière du navire).

À huit heures, la brume roula lourdement sur les flots, et ses grosses volutes[1] se levèrent peu à peu. L'horizon s'élargissait.

Soudain, et comme la veille, la voix de Ned Land se fit entendre.

« La chose en question, par bâbord derrière ! » cria le harponneur.

Tous les regards se dirigèrent vers le point indiqué.

Là, à un mille[2] et demi de la frégate, un long corps noirâtre émergeait d'un mètre au-dessus des flots. Sa queue, violemment agitée, produisait un remous considérable.

La frégate s'approcha du cétacé. Je l'examinai en toute liberté d'esprit.

J'estimai sa longueur à deux cent cinquante pieds seulement.

L'équipage attendait impatiemment les ordres de son chef. Celui-ci, après avoir

Un long corps noirâtre émergeait d'un mètre au-dessus des flots.

---

1. Volute, *n. f.* : forme enroulée en spirale.
2. Mille, *n. m.* : un mille marin, 1 852 m.

attentivement observé l'animal, fit appeler l'ingénieur. L'heure de la lutte avait sonné. Quelques instants après, les deux cheminées de la frégate vomissaient des torrents de fumée noire, et le pont frémissait sous le tremblotement des chaudières.

L'*Abraham Lincoln*, chassé en avant par sa puissante hélice, se dirigea droit sur l'animal. Celui-ci le laissa indifféremment s'approcher à une demi-encablure ; puis, dédaignant de plonger, il prit une petite allure de fuite, et se contenta de maintenir sa distance.

Cette poursuite se prolongea pendant trois quarts d'heure environ.

Le commandant Farragut tordait avec rage l'épaisse touffe de poils qui foisonnait sous son menton.

« Ned Land ? » cria-t-il.

Le Canadien vint à l'ordre.

« Eh bien, maître Land, demanda le commandant, me conseillez-vous de mettre mes embarcations à la mer ?

– Non, monsieur, répondit Ned Land, car cette bête-là ne se laissera prendre que si elle le veut bien.

– Que faire alors ?

– Forcer de vapeur si vous le pouvez, monsieur. Pour moi, avec votre permission, s'entend, je vais m'installer sur les sous-barbes de beaupré[1], et si nous arrivons à longueur de harpon, je harponne.

– Allez, Ned, répondit le commandant Farragut. Ingénieur, cria-t-il, faites monter la pression. »

Ned Land se rendit à son poste. Les feux furent plus activement poussés.

Une poursuite effrénée s'engagea.

Plusieurs fois, l'animal se laissa approcher. « Nous le gagnons ! Nous le gagnons ! » s'écriait le Canadien.

---

1. Sous-barbe de beaupré, *n. f.* : cordage métallique qui maintient le mât de beaupré, placé à l'avant du navire.

Puis, au moment où il se disposait à frapper, le cétacé se dérobait avec une rapidité que je ne puis estimer à moins de trente milles à l'heure.

À midi, nous n'étions pas plus avancés qu'à huit heures du matin. Le commandant Farragut se décida alors à employer des moyens plus directs.

Le canon de gaillard[1] fut immédiatement chargé et braqué. Le coup partit, mais le boulet passa à quelques pieds au-dessus du cétacé, qui se tenait à un demi-mille.

«À un autre plus adroit ! cria le commandant, et cinq cents dollars à qui percera cette infernale bête !»

Un vieux canonnier à barbe grise s'approcha de sa pièce, la mit en position et visa longtemps. Une forte détonation éclata, à laquelle se mêlèrent les hurrahs de l'équipage.

---

1. Gaillard, *n. m.* : chacune des deux constructions surélevées qui se trouvent à l'avant et à l'arrière du navire.

Le boulet atteignit son but, il frappa l'animal, mais non pas normalement, et glissant sur sa surface arrondie, il alla se perdre à deux milles en mer.

« Malédiction ! » s'écria le commandant Farragut.

À dix heures cinquante minutes du soir, la clarté électrique réapparut. Le narval semblait immobile.

Il y avait là une chance dont le commandant Farragut résolut de profiter.

Il donna ses ordres.

La frégate s'approcha sans bruit, stoppa à deux encablures de l'animal, et courut sur son erre. On ne respirait plus à bord. Un silence profond régnait sur le pont. Nous n'étions pas à cent pieds du foyer ardent, dont l'éclat grandissait et éblouissait nos yeux.

En ce moment, penché sur la lisse du gaillard d'avant, je voyais au-dessous de moi Ned Land, accroché d'une main à la martingale[1], de l'autre brandissant son terrible harpon. Vingt pieds à peine le séparaient de l'animal immobile.

Tout d'un coup, son bras se détendit violemment, et le harpon fut lancé. J'entendis le choc sonore de l'arme, qui semblait avoir heurté un corps dur.

La clarté électrique s'éteignit soudain, et deux énormes trombes d'eau s'abattirent sur le pont de la frégate, courant comme un torrent de l'avant à l'arrière, renversant les hommes, brisant les saisines des dromes[2].

Un choc effroyable se produisit, et, lancé par-dessus la lisse, sans avoir le temps de me retenir, je fus précipité à la mer.

---

1. Martingale, *n. f.* : sous-barbe (cordage).
2. Saisines des dromes, *n. f.* : cordages servant à amarrer les pièces de rechange (dromes) du navire.

LE SOUS-MARIN 5

J<small>E</small> fus d'abord entraîné à une profondeur de vingt pieds environ. Je suis bon nageur, et deux vigoureux coups de talon me ramenèrent à la surface de la mer.

« À moi ! à moi ! » criai-je, en nageant vers l'*Abraham Lincoln* d'un bras désespéré.

Mes vêtements m'embarrassaient. L'eau les collait à mon corps, ils paralysaient mes mouvements. Je coulais ! Je suffoquais !…

« À moi ! »

Soudain, mes habits furent saisis par une main vigoureuse, je me sentis violemment ramené à la surface de la mer, et j'entendis, oui, j'entendis ces paroles prononcées à mon oreille :

« Si monsieur veut avoir l'extrême obligeance de s'appuyer sur mon épaule, monsieur nagera beaucoup plus à son aise. »

Je saisis d'une main le bras de mon fidèle Conseil.

« Toi ! dis-je, toi !

– Moi-même, répondit Conseil, et aux ordres de monsieur.

– Et ce choc t'a précipité en même temps que moi à la mer ?

– Nullement. Mais étant au service de monsieur, j'ai suivi monsieur !

– Et la frégate ? demandai-je.

– La frégate ! répondit Conseil en se retournant sur le dos, je crois que monsieur fera bien de ne pas trop compter sur elle !

– Tu dis ?

– Je dis qu'au moment où je me précipitai à la mer, j'entendis les hommes de barre s'écrier : " L'hélice et le gouvernail sont brisés… "

– Brisés ? Alors, nous sommes perdus ! »

Vers une heure du matin, je fus pris d'une extrême fatigue. Mes membres se raidirent sous l'étreinte de crampes violentes. La lune apparut. J'aperçus la frégate. Elle était à cinq milles de nous, et ne formait plus qu'une masse sombre, à peine appréciable.

Mes forces m'abandonnaient, le froid m'envahissait. Je relevai la tête une dernière fois avant de m'enfoncer dans les flots.

En cet instant, un corps dur me heurta. Je m'y cramponnai. Puis, je sentis qu'on me retirait, qu'on me ramenait à la surface de l'eau, que ma poitrine se dégonflait, et je m'évanouis...

Je revins à moi, grâce à de vigoureuses frictions qui me sillonnèrent le corps. J'entrouvris les yeux...

« Conseil ! » murmurai-je.

En ce moment, aux dernières clartés de la lune qui s'abaissait vers l'horizon, j'aperçus une figure qui n'était pas celle de Conseil, et que je reconnus aussitôt.

« Ned ! m'écriai-je.

*Nous
étions sur
le dos
d'une
sorte de
bateau
sous-
marin.*

– En personne, monsieur.

– Vous avez été précipité à la mer au choc de la frégate ?

– Oui, monsieur le professeur, mais j'ai pu prendre pied presque immédiatement sur un îlot flottant.

– Un îlot ?

– Ou, pour mieux dire, sur notre narval gigantesque.

– Expliquez-vous, Ned.

– Seulement, j'ai bientôt compris pourquoi mon harpon n'avait pu l'entamer et s'était émoussé sur sa peau.

– Pourquoi, Ned, pourquoi ?

– C'est que cette bête-là, monsieur le professeur, est faite en tôle d'acier ! »

Nous étions étendus sur le dos d'une sorte de bateau sous-marin, qui présentait, autant que j'en pouvais juger, la forme d'un immense poisson d'acier. L'opinion de Ned Land était faite sur ce point. Conseil et moi, nous ne pûmes que nous y ranger.

« Mais alors, dis-je, cet appareil renferme en lui un mécanisme de locomotion et un équipage pour le manœuvrer ?

— Évidemment, répondit le harponneur, et néanmoins, depuis trois heures que j'habite cette île flottante, elle n'a pas donné signe de vie.

— Ce bateau n'a pas marché ?

— Non, monsieur Aronnax. Il se laisse bercer au gré des lames[1], mais il ne bouge pas. »

Un bouillonnement se fit à l'arrière de cet étrange appareil, dont le propulseur était évidemment une hélice, et il se mit en mouvement. Nous n'eûmes que le temps de nous accrocher à sa partie supérieure qui émergeait de quatre-vingts centimètres environ. Très heureusement sa vitesse n'était pas excessive.

« Tant qu'il navigue horizontalement, murmura Ned Land, je n'ai rien à dire. Mais

---

1. Lame, *n. f.* : vague plus ou moins grosse selon la force du vent.

s'il lui prend la fantaisie de plonger, je ne donnerais pas deux dollars de ma peau ! »

Vers quatre heures du matin, la rapidité de l'appareil s'accrut.

Le jour parut.

Soudain un bruit de ferrures violemment poussées se produisit à l'intérieur du bateau. Une plaque se souleva. Huit solides gaillards, le visage voilé, apparaissaient silencieusement, et nous entraînaient dans leur formidable machine.

À peine l'étroit panneau fut-il refermé sur moi, qu'une obscurité profonde m'enveloppa.

Je sentis mes pieds nus se cramponner aux échelons d'une échelle de fer. Au bas de l'échelle, une porte s'ouvrit et se referma immédiatement sur nous. Tout était noir.

Je marchai en tâtonnant. Après cinq pas, je rencontrai une muraille de fer, faite de tôles boulonnées. Puis, me retournant, je heurtai une table de bois, près de laquelle étaient rangés plusieurs escabeaux. Le plancher de cette prison se dissimulait sous une épaisse natte qui assourdissait le bruit des pas.

Une demi-heure s'était écoulée quand notre prison s'éclaira soudain.

« Enfin ! on y voit clair ! » s'écria Ned Land, qui, son couteau à la main, se tenait sur la défensive.

Un bruit de verrous se fit entendre, la porte s'ouvrit, deux hommes parurent.

Le plus grand des deux nous examina avec une extrême attention, sans prononcer une parole. Puis, se retournant vers son compagnon, il s'entretint avec lui dans une langue que je ne pus reconnaître.

L'autre répondit par un hochement de tête, et ajouta deux ou trois mots parfaitement incompréhensibles. Puis du regard il parut m'interroger.

Je lui racontai en français le récit de nos aventures, articulant nettement toutes mes syllabes, et sans omettre un seul détail. Je

La porte s'ouvrit, deux hommes parurent.

déclinai nos noms et qualités ; puis, je présentai dans les formes le professeur Aronnax, son domestique Conseil, et maître Ned Land, le harponneur.

L'homme m'écouta tranquillement, mais rien dans sa physionomie n'indiqua qu'il eût compris mon histoire.

Ned Land lui parla en anglais, Conseil en allemand. Je tentai enfin le latin. Mais rien n'y fit.

Finalement les deux inconnus échangèrent quelques mots dans leur incompréhensible langage et se retirèrent. La porte se referma.

« Ils ne comprennent donc aucune langue ! s'exclama Ned Land.

– Calmez-vous ! » répondis-je.

Comme je disais ces mots, la porte s'ouvrit. Un steward[1] entra. Il nous apportait

---

1. Steward, *n. m.* : maître d'hôtel ou garçon de service à bord d'un paquebot.

des vêtements. Je me hâtai de les revêtir et mes compagnons m'imitèrent.

Pendant ce temps, le steward avait disposé la table et placé trois couverts.

« Voilà quelque chose de sérieux, dit Conseil, et cela s'annonce bien. »

Nous prîmes place à table. On nous servit du poisson et d'autres plats délicieux.

Chaque ustensile, cuiller, fourchette, couteau, assiette, portait une lettre entourée d'une devise en exergue, et dont voici le fac-similé[1] exact :

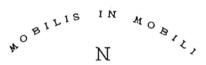

Mobile dans l'élément mobile ! Cette devise s'appliquait justement à cet appareil sous-marin.

Mobile dans l'élément mobile !

---

1. Fac-similé, *n. m.* : reproduction exacte d'un écrit, d'un dessin.

La lettre N formait sans doute l'initiale du nom de l'énigmatique personnage qui commandait au fond des mers ! J'étais, d'ailleurs, rassuré sur notre sort, et il me paraissait évident que nos hôtes ne voulaient pas nous laisser mourir d'inanition[1].

« Ma foi, je dormirais bien, dit Conseil.

– Et moi, je dors ! » répondit Ned Land.

Mes deux compagnons s'étendirent sur le tapis de la cabine, et furent bientôt plongés dans un profond sommeil.

Pour mon compte, je cédai moins facilement à ce violent besoin de dormir. Trop de pensées s'accumulaient dans mon esprit, trop de questions insolubles s'y pressaient, trop d'images tenaient mes paupières entrouvertes ! Où étions-nous ? Quelle étrange puissance nous emportait ? Je sentais – ou plutôt je croyais sentir – l'appareil s'enfon-

---

1. Inanition, *n. f.* : grande fatigue d'une personne qui ne se nourrit pas suffisamment.

cer vers les couches les plus reculées de la mer. De violents cauchemars m'obsédaient. Puis, mon cerveau se calma, et je tombai bientôt dans un morne sommeil.

Quelle fut la durée de ce sommeil, je l'ignore ; mais il dut être long, car il nous reposa complètement de nos fatigues.

Après plusieurs heures d'attente, un bruit se fit entendre. Des pas résonnèrent. La porte s'ouvrit, le steward parut.

Le second personnage le suivait.

« Messieurs, dit-il dans un français parfait, je suis le commandant de bord.»

Quelle ne fut pas notre surprise ! Il continua d'une voix calme et pénétrante :

« Je parle également l'anglais, l'allemand et le latin. J'aurais donc pu vous répondre dès notre première entrevue, mais je voulais vous connaître d'abord, réfléchir ensuite. Je voulais peser mûrement le parti à prendre envers vous. J'ai beaucoup hésité. Les plus fâcheuses circonstances vous ont mis en présence d'un homme qui a rompu avec l'humanité. Vous êtes venus troubler mon existence…

– Involontairement, dis-je.

– Involontairement ? répondit l'inconnu, en forçant un peu sa voix. Est-ce involontairement que l'*Abraham Lincoln* me chasse sur toutes les mers ? Est-ce involontairement que vous avez pris passage à bord de cette frégate ? Est-ce involontairement que vos boulets ont rebondi sur la coque de mon navire ? Vous comprenez donc, monsieur, que j'ai le droit de vous traiter en ennemis. Vous resterez à mon bord, puisque la fatalité vous y a jetés. Vous y serez libres. Mais sachez que jamais vous ne retournerez vivre sur terre !

– Monsieur, répondis-je, emporté malgré moi, vous abusez de votre situation envers nous ! C'est de la cruauté !

– Non, monsieur, c'est de la clémence ! Je

Sachez que jamais je ne vous renverrai vivre sur terre !

vous garde, quand je pourrais d'un mot vous replonger dans les abîmes[1] de l'océan ! Vous m'avez attaqué ! Vous êtes venus surprendre un secret que nul homme au monde ne doit pénétrer, le secret de toute mon existence ! Et vous croyez que je vais vous renvoyer sur cette terre qui ne doit plus me connaître ! Jamais !

Maintenant, permettez-moi d'achever ce que j'ai à vous dire. Je vous connais, monsieur Aronnax. Vous, sinon vos compagnons, vous n'aurez peut-être pas tant à vous plaindre du hasard qui vous lie à mon sort. Vous trouverez parmi les livres qui servent à mes études favorites cet ouvrage que vous avez publié sur les grands fonds de la mer. Je l'ai souvent lu : vous ne savez pas tout, vous n'avez pas tout vu. Laissez-moi donc vous dire, monsieur le professeur, que vous ne regretterez pas le temps passé à

Vous ne regretterez pas le temps passé à mon bord.

---

1. Abîmes, *n. m. pl.* : lieux très profonds.

mon bord. Vous allez voyager dans le pays des merveilles, vous verrez ce que n'a vu encore aucun homme.

– Une dernière question, dis-je, au moment où cet être inexplicable semblait vouloir se retirer. De quel nom dois-je vous appeler ?

– Monsieur, répondit le commandant, je ne suis pour vous que le capitaine Nemo, et vos compagnons et vous, n'êtes pour moi que les passagers du *Nautilus*. »

Le capitaine Nemo appela. Un steward parut. Le capitaine lui donna ses ordres dans cette langue étrangère que je ne pouvais reconnaître. Puis, se tournant vers le Canadien et Conseil :

« Un repas vous attend dans votre cabine, leur dit-il. Veuillez suivre cet homme.

– Ça n'est pas de refus ! répondit le harponneur.

– Et maintenant, monsieur Aronnax, notre déjeuner est prêt. Permettez-moi de vous précéder. »

Je suivis le capitaine Nemo. Après un parcours d'une dizaine de mètres, j'entrai dans une salle à manger, ornée et meublée avec un goût sévère, au centre de laquelle était une table richement servie.

« Asseyez-vous, me dit-il, et mangez comme un homme qui doit mourir de faim. »

Le déjeuner se composait d'un certain nombre de plats dont la mer seule avait fourni le contenu, et de quelques mets dont j'ignorais la nature et la provenance. Je pensai qu'ils devaient avoir une origine marine.

Le capitaine Nemo me regardait. Je ne lui demandai rien, mais il devina mes pensées, et il répondit de lui-même aux questions que je brûlais de lui adresser.

« La plupart de ces mets vous sont inconnus, me dit-il. Cependant, vous pouvez en user sans crainte. Ils sont sains et nourrissants. Depuis longtemps, j'ai renoncé aux aliments de la terre, et je ne m'en porte pas plus mal.

– Ainsi, dis-je, tous ces aliments sont des produits de la mer ?

– Oui, monsieur le professeur, la mer fournit à tous mes besoins. Tantôt je mets mes filets à la traîne, et je les retire, prêts à se rompre. Tantôt je vais chasser au milieu de cet élément qui paraît être inaccessible à l'homme, et je force le gibier qui gîte dans mes forêts sous-marines. Mes troupeaux paissent sans crainte les immenses prairies de l'océan. J'ai là une vaste propriété que j'exploite moi-même.

– Vous aimez la mer, capitaine.

– Oui ! Je l'aime ! La mer est tout ! Elle couvre les sept dixièmes du globe terrestre. Son souffle est pur et sain. C'est l'immense désert où l'homme n'est jamais seul, car il sent frémir la vie à ses côtés. Elle n'est que mouvement et amour ; c'est l'infini vivant.

C'est par la mer que le globe a pour ainsi dire commencé, et qui sait s'il ne finira pas par elle ! Là est la suprême tranquillité. La

mer n'appartient pas aux despotes[1]. À trente
pieds au-dessous de son niveau, leur pouvoir
cesse, leur influence s'éteint, leur puissance
disparaît ! Ah ! monsieur, vivez, vivez au
sein des mers ! Là seulement est l'indépendance ! Là je ne reconnais pas de maîtres !
Là je suis libre ! »

Le capitaine Nemo se tut subitement au
milieu de cet enthousiasme qui débordait de
lui. Avait-il trop parlé ? Ses nerfs se calmè-
rent, et, se tournant vers moi : « Maintenant,
monsieur le professeur, dit-il, si vous voulez
visiter le *Nautilus*, je suis à vos ordres. »

---

1. Despote, *n. f.* : chef d'État tyrannique.

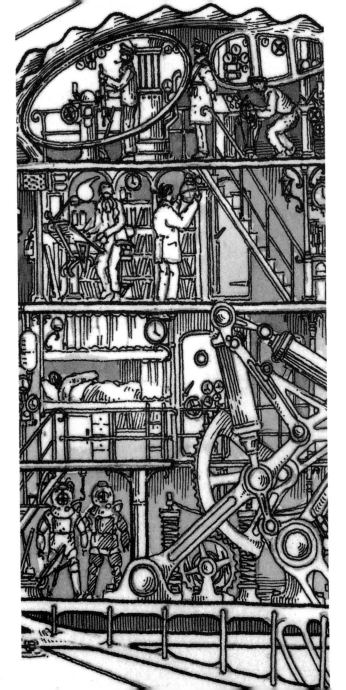

Voilà une bibliothèque qui ferait honneur à plus d'un palais des continents.

VISITE
DU *NAUTILUS*

6

5 NOV. 1867
NAUTILUS

L̲E capitaine Nemo se leva. Je le suivis. Une double porte, ménagée à l'arrière de la salle, s'ouvrit, et j'entrai dans une chambre de dimension égale à celle que je venais de quitter.

C'était une bibliothèque. De hauts meubles supportaient sur leurs larges rayons un grand nombre de livres uniformément reliés.

« Capitaine Nemo, dis-je, voilà une bibliothèque qui ferait honneur à plus d'un palais des continents, et je suis vraiment émerveillé, quand je songe qu'elle peut vous suivre au plus profond des mers.

– Où trouverait-on plus de solitude, plus de silence, monsieur le professeur ? répondit le capitaine Nemo. Votre cabinet du Muséum vous offre-t-il un repos aussi complet ?

– Non, monsieur, et je dois ajouter qu'il est bien pauvre auprès du vôtre. Vous possédez là six ou sept mille volumes…

– Douze mille, monsieur Aronnax. Ce sont les seuls liens qui me rattachent à la terre. Ces livres, monsieur le professeur, sont d'ailleurs à votre disposition, et vous pourrez en user librement. »

Le capitaine Nemo ouvrit une porte et je passai dans un salon immense et splendidement éclairé.

Une trentaine de tableaux de maîtres ornaient les parois tendues de tapisseries d'un dessin sévère. Je vis là des toiles de la plus haute valeur. Le capitaine Nemo sembla perdu dans une rêverie profonde. Il ne me voyait plus, il oubliait ma présence.

Je respectai ce recueillement, et je continuai de passer en revue les curiosités qui enrichissaient ce salon.

Auprès des œuvres de l'art, les raretés naturelles tenaient une place très importante : plantes, coquilles et autres productions de l'océan, qui devaient être les trouvailles personnelles du capitaine Nemo.

Je vis, suspendus aux murs du salon, des instruments dont l'utilisation m'était inconnue. Je demandai des explications à mon hôte. Il me les donnerait dès que nous serions dans sa chambre.

« Mais auparavant, venez visiter la cabine qui vous est réservée. »

Je suivis le capitaine Nemo vers l'avant et là je trouvai une chambre élégante, avec lit, toilette et divers autres meubles.

Je ne pus que remercier mon hôte.

« Votre chambre est contiguë à la mienne, me dit-il, en ouvrant une porte, et la mienne donne sur le salon que nous venons de quitter. »

J'entrai dans la chambre du capitaine. Une couchette de fer, une table de travail, quelques meubles de toilette. Le tout éclairé par un demi-jour. Rien de confortable. Le strict nécessaire, seulement.

Le capitaine Nemo me montra un siège.

« Veuillez vous asseoir », me dit-il.

Je m'assis, et il prit la parole en ces termes :

« Monsieur, dit-il, en me montrant les instruments suspendus aux parois de sa chambre, voici les appareils exigés par la navigation du *Nautilus*. Ici comme dans le salon, je les ai toujours sous les yeux, et ils m'indiquent ma situation et ma direction exacte au milieu de l'océan. Les uns vous sont connus, tels le thermomètre, le baromètre, la boussole, le sextant[1] et, enfin, des lunettes de jour et de nuit, qui me servent à scruter tous les points de l'horizon, quand le *Nautilus* est remonté à la surface des flots.

J'entrai dans la chambre du capitaine.

_____

1. Sextant, *n. m.* : objet utilisé par les marins pour repérer leur route par rapport aux astres.

– Ce sont les instruments habituels au navigateur, répondis-je ; et ces sondes[1] d'une nouvelle espèce ?

– Ce sont des sondes thermométriques qui rapportent la température des diverses couches d'eau.

– Et ces autres instruments dont je ne devine pas l'emploi ?

– Ici, monsieur le professeur, je dois vous donner quelques explications, dit le capitaine Nemo. Veuillez donc m'écouter. Il est un agent puissant, obéissant, rapide, facile, qui se plie à tous les usages et qui règne en maître à mon bord. Cet agent, c'est l'électricité.

– L'électricité ! m'écriai-je assez surpris.

– Oui, monsieur.

– Cependant, capitaine, vous possédez une extrême rapidité de mouvements qui s'accorde mal avec le pouvoir de l'électricité.

– Monsieur le professeur, répondit le capi-

---

1. Sonde, *n. f.* : appareil servant à mesurer la profondeur de l'eau.

taine Nemo, mon électricité n'est pas celle de tout le monde, et c'est là tout ce que vous me permettrez de vous en dire.

– Je n'insisterai pas, monsieur, et je me contenterai d'être très étonné d'un tel résultat.

– Nous n'avons pas fini, monsieur Aronnax, dit le capitaine Nemo en se levant, et si vous voulez me suivre, nous visiterons l'arrière du *Nautilus*. »

Je suivis le capitaine Nemo, à travers les coursives[1] situées en abord, et j'arrivai au centre du navire. Là se trouvait une sorte de puits qui s'ouvrait entre deux cloisons étanches. Une échelle de fer, cramponnée à la paroi, conduisait à son extrémité supérieure. Je demandai au capitaine à quel usage servait cette échelle.

« Elle aboutit au canot, répondit-il.

– Quoi ! Vous avez un canot ? répliquai-je, assez étonné.

*Je suivis
le
capitaine
Nemo...*

---

1. Coursive, *n. f.* : couloir étroit à l'intérieur d'un navire.

– Une excellente embarcation légère et insubmersible, qui sert à la promenade et à la pêche.

– Mais alors, quand vous voulez vous embarquer, vous êtes forcé de revenir à la surface de la mer ?

– Aucunement. Ce canot adhère à la partie supérieure de la coque du *Nautilus*, et occupe une cavité disposée pour le recevoir. Il est entièrement ponté, absolument étanche, et retenu par de solides boulons. »

Après avoir dépassé la cage de l'escalier qui aboutissait à la plate-forme, je vis une cabine longue de deux mètres, dans laquelle Conseil et Ned Land, enchantés de leur repas, s'occupaient à dévorer à belles dents. Puis une porte s'ouvrit sur la cuisine longue de trois mètres, située entre les vastes cambuses[1] du bord.

Auprès de cette cuisine s'ouvrait une salle

... et j'arrivai au centre du navire.

---

1. Cambuse, *n. f.* : magasin où sont conservés vivres et provisions dans un navire.

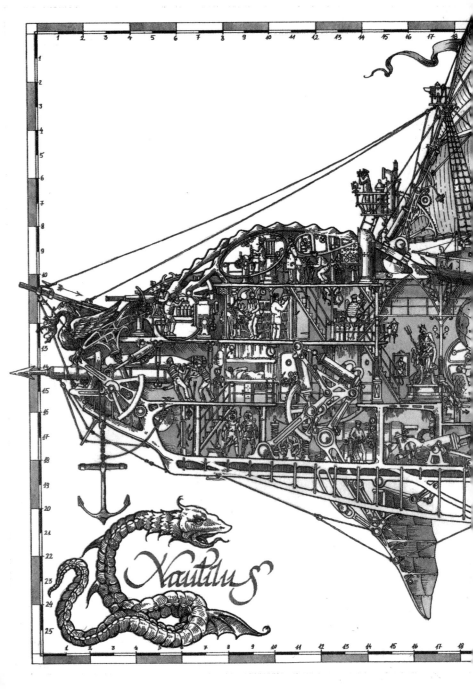

Nautilus

de bains, confortablement disposée, et dont les robinets fournissaient l'eau froide ou l'eau chaude, à volonté.

À la cuisine succédait le poste de l'équipage, long de cinq mètres. Mais la porte en était fermée, et je ne pus voir son aménagement, qui m'eût peut-être fixé sur le nombre d'hommes nécessité par la manœuvre du *Nautilus.*

Au fond s'élevait une quatrième cloison étanche qui séparait ce poste de la chambre des machines. Une porte s'ouvrit, et je me trouvai dans ce compartiment où le capitaine Nemo – ingénieur de premier ordre, à coup sûr – avait disposé ses appareils de locomotion.

Cette chambre des machines ne mesurait pas moins de vingt mètres en longueur. Elle était naturellement divisée en deux parties ; la première renfermait les éléments qui produisaient l'électricité, et la seconde, le mécanisme qui transmettait le mouvement à l'hélice.

Le capitaine m'entraîna de nouveau au salon. Là, il mit sous mes yeux un plan du Nautilus. *Puis il commença sa description en ces termes :*

« Voici, monsieur Aronnax, les diverses dimensions du bateau qui vous porte. C'est un cylindre très allongé, à bouts coniques, de la forme d'un cigare. Sa longueur est exactement de soixante-dix mètres, et sa plus grande largeur est de huit mètres, ce qui revient à dire qu'entièrement immergé, il déplace ou pèse quinze cents mètres cubes ou tonneaux.

Le *Nautilus* se compose de deux coques, l'une intérieure, l'autre extérieure, réunies entre elles par des fers en T qui lui donnent une rigidité extrême. En effet, grâce à cette disposition cellulaire, il résiste comme un bloc, comme s'il était plein. Sa construction lui permet de défier les mers les plus vio-lentes. »

Le capitaine Nemo prit tout le temps de m'expliquer en détail le fonctionnement du Nautilus.

« Ah ! commandant, m'écriai-je avec conviction, c'est vraiment un merveilleux bateau que votre *Nautilus* !

– Oui, monsieur le professeur, répondit avec une véritable émotion le capitaine Nemo, et je l'aime comme la chair de ma chair ! »

Vous êtes donc ingénieur, capitaine Nemo ?

Le capitaine Nemo parlait avec une éloquence entraînante. Le feu de son regard, la passion de son geste, le transfiguraient. Oui ! il aimait son navire !

Mais une question, indiscrète peut-être, se posait naturellement, et je ne pus me retenir de la lui faire.

« Vous êtes donc ingénieur, capitaine Nemo ?

– Oui, monsieur le professeur, me répondit-il, j'ai étudié à Londres, à Paris, à New

York, du temps que j'étais un habitant des continents de la terre.

– Mais comment avez-vous pu construire, en secret, cet admirable *Nautilus*?

– Chacun de ses morceaux, monsieur Aronnax, m'est arrivé d'un point différent du globe, et sous une destination déguisée.

– Mais, repris-je, ces morceaux ainsi fabriqués, il a fallu les monter, les ajuster ?

– Monsieur le professeur, j'avais établi mes ateliers sur un îlot désert, en plein océan. Là, mes ouvriers, c'est-à-dire mes braves compagnons que j'ai instruits et formés, et moi, nous avons achevé notre *Nautilus*. Puis, l'opération terminée, le feu a détruit toute trace de notre passage sur cet îlot que j'aurais fait sauter, si je l'avais pu.

– Vous êtes donc riche ?

– Riche à l'infini, monsieur. »

Je regardai fixement le bizarre personnage qui me parlait ainsi. Abusait-il de ma crédulité ? L'avenir devait me l'apprendre.

INVITATION PAR LETTRE

7

« MONSIEUR le professeur, me dit le capitaine Nemo, nous allons, si vous le voulez bien, relever exactement notre position, et fixer le point de départ de ce voyage. Il est midi moins le quart. Je vais remonter à la surface des eaux. »

Le capitaine pressa trois fois un timbre électrique. Les pompes commencèrent à chasser l'eau des réservoirs ; l'aiguille du manomètre marqua par les différentes pressions le mouvement ascensionnel[1] du *Nautilus*, puis elle s'arrêta.

« Nous sommes arrivés », dit le capitaine.

Je me rendis à l'escalier central qui abou-

---

1. Ascensionnel, *adj.* : vers le haut.

tissait à la plate-forme. Je gravis les marches de métal, et, par les panneaux ouverts, j'arrivai sur la partie supérieure du *Nautilus*.

La plate-forme émergeait de quatre-vingts centimètres seulement. La mer était magnifique, le ciel pur. Une légère brise de l'est ridait la surface des eaux. L'horizon, dégagé de brumes, se prêtait aux meilleures observations.

Le capitaine Nemo, muni de son sextant, prit la hauteur du soleil, qui devait lui donner sa latitude. Là, le capitaine fit son point et calcula sa longitude. Puis il me dit : « Monsieur Aronnax, nous sommes par trente-sept degrés et quinze minutes de longitude à l'ouest du méridien de Paris, et par trente degrés et sept minutes de latitude nord, c'est-à-dire à trois cents milles environ des côtes du Japon. C'est aujourd'hui 8 novembre, à midi, que commence notre voyage d'exploration sous les eaux.

– Dieu nous garde ! répondis-je.

– Et maintenant, monsieur le professeur, ajouta le capitaine, je vous laisse à vos études. J'ai donné la route à l'est-nord-est par cinquante mètres de profondeur. Voici des cartes à grands points, où vous pourrez la suivre. Le salon est à votre disposition, et je vous demande la permission de me retirer. »

Le capitaine Nemo me salua. Je restai seul, absorbé dans mes pensées. Toutes se portaient sur ce commandant du *Nautilus*.

Une heure entière, je demeurai plongé dans ces réflexions, quand Ned Land et Conseil apparurent à la porte du salon.

Mes deux braves compagnons restèrent pétrifiés à la vue des merveilles entassées devant leurs yeux.

Ned Land m'interrogea sur mon entrevue avec le capitaine Nemo. Avais-je découvert qui il était, d'où il venait, où il allait, vers quelles profondeurs il nous entraînait ? Je lui appris tout ce que je savais, ou plutôt,

tout ce que je ne savais pas, et je lui demandai ce qu'il avait entendu ou vu de son côté.

Rien vu, rien entendu !

« Rien vu, rien entendu ! répondit le
Canadien. Je n'ai pas même aperçu l'équipage de ce bateau. Mais vous, monsieur
Aronnax, vous ne pouvez me dire combien
d'hommes il y a à bord ?

– Je ne saurais vous répondre, maître
Land. D'ailleurs, croyez-moi, abandonnez,
pour le moment, l'idée de vous emparer du
Nautilus ou de le fuir. Ce bateau est un chef-
d'œuvre de l'industrie moderne. Bien des
gens accepteraient la situation qui nous est
faite, ne fût-ce que pour se promener à travers ces merveilles. »

*Soudain, les lumières du salon s'éteignirent.
Des volets s'ouvrirent, et les profondeurs
marines apparurent à nos regards médusés.*

*Deux vitres de cristal nous séparaient de
la mer. Quel spectacle ! Émerveillés, nous
restâmes pendant deux heures accoudés à*

ces vitrines, admirant toute une armée aquatique qui faisait escorte au **Nautilus**.

Subitement, le jour se fit dans le salon. Les panneaux de tôle se refermèrent.

Mes regards se fixèrent sur les instruments suspendus aux parois. La boussole montrait toujours la direction au nord-nord-est, le manomètre indiquait une pression de cinq atmosphères correspondant à une profondeur de cinquante mètres, et le loch électrique donnait une marche de quinze milles à l'heure. L'horloge marquait cinq heures.

Ned Land et Conseil retournèrent à leur cabine. Moi, je regagnai ma chambre. Mon dîner s'y trouvait préparé.

Je passai la soirée à lire, à écrire, à penser. Puis, le sommeil me gagnant, je m'étendis sur ma couche et je m'endormis profondément.

Le lendemain 9 novembre, la journée entière se passa, sans que je fusse honoré de la visite du capitaine Nemo.

La direction du *Nautilus* se maintint à l'est-nord-est, sa vitesse à douze milles, sa profondeur entre cinquante et soixante mètres.

Le 10 novembre, même abandon, même solitude. Je ne vis personne de l'équipage. Ned et Conseil passèrent la plus grande partie de la journée avec moi. Ils s'étonnèrent de l'inexplicable absence du capitaine. Cet homme singulier voulait-il modifier ses projets à notre égard ?

Ce jour-là, je commençai le journal de nos aventures. Le 11 novembre, de grand matin, l'air frais répandu à l'intérieur du *Nautilus* m'apprit que nous étions revenus à la surface de l'océan, afin de renouveler les provisions d'oxygène. Je me dirigeai vers l'escalier central, et je montai sur la plate-forme.

Il était six heures. Je trouvai le temps couvert, la mer grise, mais calme. À peine de houle. Le capitaine Nemo, que j'espérais rencontrer là, viendrait-il ? Je n'aperçus que le timonier[1], emprisonné dans sa cage de verre, lorsque j'entendis quelqu'un monter vers la plate-forme.

Je me préparais à saluer le capitaine Nemo, mais ce fut son second qui apparut. Il s'approcha du panneau, et prononça une phrase dont voici exactement les termes :

« Nautron respoc lorni virch. »

Ce qu'elle signifiait, je ne saurais le dire.

Ces mots prononcés, le second redescendit. Je pensai que le *Nautilus* allait reprendre sa navigation sous-marine. Je regagnai donc le panneau, et par les coursives je revins à ma chambre.

Cinq jours s'écoulèrent ainsi, sans que la situation se modifiât. Chaque matin, je montais sur la plate-forme. La même phrase était prononcée par le même individu. Le capitaine Nemo ne paraissait pas. Le 16 novembre, rentré dans ma chambre avec Ned et

---

1. Timonier, *n. m.* : celui qui tient la barre du gouvernail.

Conseil, je trouvai sur la table un billet à mon adresse :

Monsieur le professeur Aronnax,

à bord du *Nautilus*.

16 novembre 1867.

Le capitaine Nemo invite monsieur le professeur Aronnax à une partie de chasse qui aura lieu demain matin dans ses forêts de l'île Crespo. Il espère que rien n'empêchera monsieur le professeur d'y assister, et il verra avec plaisir que ses compagnons se joignent à lui.

Le commandant du *Nautilus*,

Capitaine NEMO.

« Une chasse ! s'écria Ned.

— Et dans ses forêts de l'île Crespo ! ajouta Conseil.

— Mais il va donc à terre ? reprit Ned Land.

— Cela me paraît clairement indiqué, dis-je en relisant la lettre.

– Eh bien ! il faut accepter, répliqua le Canadien. Une fois sur la terre ferme, nous aviserons à prendre un parti. »

Le lendemain, 17 novembre, à mon réveil, je sentis que le *Nautilus* était absolument immobile. Je m'habillai et j'entrai dans le grand salon.

Le capitaine Nemo était là. Il m'attendait, se leva, salua, et me demanda s'il me convenait de l'accompagner.

Je répondis simplement que mes compagnons et moi nous étions prêts à le suivre.

« Seulement, monsieur, ajoutai-je, je me permettrai de vous adresser une question : comment se fait-il que vous, qui avez rompu toute relation avec la terre, vous possédiez des forêts dans l'île Crespo ?

– Monsieur le professeur, me répondit le capitaine, les forêts que je possède ne demandent au soleil ni sa lumière ni sa chaleur. Ce sont des forêts sous-marines.

– Des forêts sous-marines ! m'écriai-je.

– Oui, monsieur le professeur.

– Et vous m'offrez de m'y conduire ?

– Précisément.

– À pied ?

– Et même à pied sec.

– En chassant ?

– En chassant.

– Le fusil à la main ?

– Le fusil à la main.

– Mais, capitaine…

– Monsieur le professeur, vous le savez aussi bien que moi, l'homme peut vivre sous l'eau à la condition d'emporter avec lui sa provision d'air respirable.

J'emmagasine l'air dans un réservoir de tôle épaisse, fixé sur le dos du plongeur.

– Quant aux fusils dont vous voulez m'armer ?

– Mais ce n'est point un fusil à poudre, répondit le capitaine. N'ayant pas de poudre, je l'ai remplacée par de l'air à haute pression, que les pompes du *Nautilus* me fournissent abondamment. Dès qu'un animal est touché, si légèrement que ce soit, il tombe foudroyé.

– Pourquoi ?

– Parce que ce ne sont pas des balles ordinaires que ce fusil lance, mais de petites capsules de verre dans lesquelles l'électricité est forcée à une très haute tension. Au plus léger choc, elles se déchargent, et l'animal, si puissant qu'il soit, tombe mort.

– Je ne discute plus, répondis-je en me levant de table, et je n'ai plus qu'à prendre mon fusil. D'ailleurs, où vous irez, j'irai. »

Le capitaine Nemo me conduisit vers l'arrière du *Nautilus*, et, en passant devant la cabine de Ned et de Conseil, j'appelai mes deux compagnons.

Puis, nous arrivâmes à une cellule près de la chambre des machines, et dans laquelle nous devions revêtir nos scaphandres.

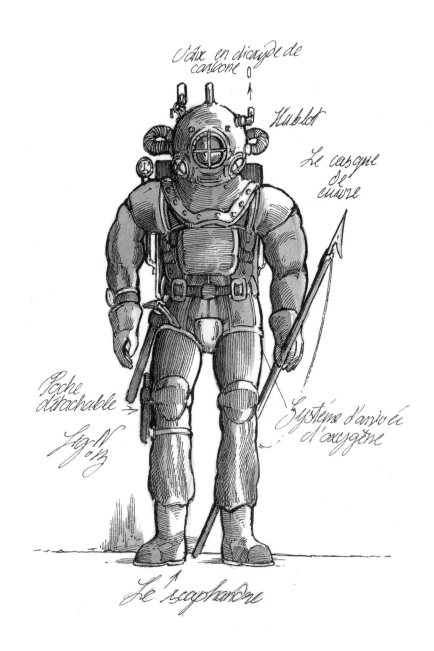

Oxide en dioxyde de
carbone

Hublot

Le casque
de
cuivre

Poche
détachable →

fig. N
°13

Système d'arrivée
d'oxygène

Le 1° scaphandre

LA FORÊT
SOUS-MARINE

8

*L*E *capitaine Nemo, un de ses compa-*
gnons, Conseil et moi avions revêtu les sca-
phandres. Seul Ned Land refusa catégorique-
ment de nous accompagner.

« Capitaine Nemo, dis-je, comment
allons-nous gagner le fond de la mer ?

– En ce moment, monsieur le professeur,
le *Nautilus* est échoué par dix mètres d'eau,
et nous n'avons plus qu'à partir.

– Mais comment sortirons-nous ?

– Vous l'allez voir. »

Le capitaine Nemo introduisit sa tête dans
la calotte sphérique[1]. Conseil et moi, nous

---

1. Calotte sphérique, *n. f.* : partie du scaphandre qui protège la
tête et a la forme d'un globe.

en fîmes autant, non sans avoir entendu le Canadien nous lancer un « bonne chasse » ironique. Je sentis que l'on me poussait dans une petite chambre contiguë au vestiaire. Mes compagnons, également remorqués, me suivaient. J'entendis une porte, munie d'obturateurs[1], se refermer sur nous, et une profonde obscurité nous enveloppa.

Après quelques minutes, un vif sifflement parvint à mon oreille. Je sentis une certaine impression de froid monter de mes pieds à ma poitrine. Évidemment, de l'intérieur du bateau on avait, par un robinet, donné entrée à l'eau extérieure qui nous envahissait, et dont cette chambre fut bientôt remplie. Une seconde porte, percée dans le flanc du *Nautilus*, s'ouvrit alors. Un demi-jour nous éclaira. Un instant après, nos pieds foulaient le fond de la mer.

Le capitaine Nemo marchait en avant, et

---

1. Obturateur, *n. m.* : pièce utilisée pour fermer une ouverture.

son compagnon nous suivait à quelques pas en arrière. Conseil et moi, nous restions l'un près de l'autre, comme si un échange de paroles eût été possible à travers nos carapaces métalliques. Je ne sentais déjà plus la lourdeur de mes vêtements, de mes chaussures, de mon réservoir d'air, ni le poids de cette épaisse sphère, au milieu de laquelle ma tête ballottait comme une amande dans sa coquille.

Nous marchions sur un sable fin, uni, non ridé comme celui des plages qui conserve l'empreinte de la houle.

Bientôt, quelques formes d'objets, à peine estompées dans l'éloignement, se dessinèrent à mes yeux. Je reconnus de magnifiques premiers plans de rochers, tapissés de zoophytes[1].

Il était alors dix heures du matin. Les rayons du soleil frappaient la surface des

---

1. Zoophyte, *n. m.* : nom donné aux animaux ressemblant à des plantes (coraux, éponges).

flots sous un angle assez oblique, et c'était une merveille, une fête des yeux, que cet enchevêtrement de tons colorés.

Nous avions quitté le *Nautilus* depuis une heure et demie environ. Il était près de midi. Le sol s'abaissa par une pente prononcée. La lumière prit une teinte uniforme. Nous atteignîmes une profondeur de cent mètres.

Le capitaine Nemo s'arrêta. Il attendit que je l'eusse rejoint, et du doigt, il me montra quelques masses obscures qui s'accusaient dans l'ombre à une petite distance.

« C'est la forêt de l'île Crespo », pensai-je, et je ne me trompais pas.

Nous étions enfin arrivés à la lisière de cette forêt, sans doute l'une des plus belles de l'immense domaine du capitaine Nemo.

Cette forêt se composait de grandes plantes arborescentes qui montaient vers la surface de l'océan.

La flore sous-marine m'y parut être assez complète, plus riche même qu'elle ne l'eût

C'est la forêt de l'île Crespo.

été sous les zones arctiques ou tropicales.

Vers une heure, le capitaine Nemo donna le signal de la halte. J'en fus assez satisfait pour mon compte, et nous nous étendîmes sous un berceau d'alariées. Cet instant de repos me parut délicieux. J'approchai seulement ma grosse tête de cuivre de la tête de Conseil. Je vis les yeux de ce brave garçon briller de contentement, et en signe de satisfaction, il s'agita dans sa carapace de l'air le plus comique du monde.

Après quatre heures de cette promenade, j'éprouvais une insurmontable envie de dormir, ainsi qu'il arrive à tous les plongeurs. Aussi mes yeux se fermèrent-ils bientôt derrière leur épaisse vitre, et je tombai dans une invincible somnolence.

Une apparition inattendue me remit brusquement sur les pieds.

À quelques pas, une monstrueuse araignée de mer, haute d'un mètre, me regardait de ses yeux louches, prête à s'élancer sur moi.

Le capitaine Nemo montra à son compagnon le crustacé, qu'un coup de crosse abattit aussitôt, et je vis les horribles pattes du monstre se tordre dans des convulsions terribles.

Cette rencontre me fit penser que d'autres animaux, plus redoutables, devaient hanter ces fonds obscurs, et que mon scaphandre ne me protégerait pas contre leurs attaques. Je n'y avais pas songé jusqu'alors, et je résolus de me tenir sur mes gardes.

Nous continuâmes notre promenade en nous enfonçant dans les obscures profondeurs de la forêt.

Enfin, vers quatre heures environ, cette merveilleuse excursion s'acheva. Un mur de rochers superbes et d'une masse imposante se dressa devant nous, entassement de blocs gigantesques, énorme falaise de granit, creusée de grottes obscures. C'était la terre.

Ici finissaient les domaines du capitaine Nemo. Il ne voulait pas les dépasser. Au-delà, c'était cette portion du globe qu'il ne devait plus fouler du pied.

Nous retournâmes au Nautilus. *Les jours passèrent.*

La direction générale du *Nautilus* était sud-est. Le 26 novembre, à trois heures du matin, il franchit le tropique du Cancer. Le 1er décembre, il coupa l'Équateur par 142° de longitude, et le 4 du même mois, après une rapide traversée que ne signala aucun incident, nous eûmes connaissance du groupe des Marquises.

Pendant la journée du 11 décembre, j'étais occupé à lire dans le grand salon. Ned Land et Conseil observaient les eaux lumineuses par les panneaux entrouverts. Le *Nautilus* était immobile. Il se tenait à une profondeur de mille mètres.

« Monsieur veut-il venir un instant ? » me dit Conseil d'une voix singulière.

Je me levai, j'allai m'accouder devant la vitre, et je regardai. Une énorme masse noirâtre, immobile, se tenait suspendue au milieu des eaux.

« Un navire ! m'écriai-je.

– Oui, répondit le Canadien, un bâtiment qui a coulé à pic ! »

Un navire !

Ned Land ne se trompait pas. Nous étions en présence d'un navire, dont les haubans[1] coupés pendaient encore à leurs cadènes[2]. Sa coque paraissait être en bon état, et son naufrage datait au plus de quelques heures.

Couché sur le flanc, il s'était rempli, et il donnait encore la bande à bâbord. Triste spectacle que celui de cette carcasse perdue sous les flots, mais plus triste encore la vue

---

1. Hauban, *n. m.* : grosse corde en métal qui relie le haut du mât au pont du navire.

2. Cadène, *n. f.* : ferrure attachant le hauban au pont du navire.

de son pont où quelques cadavres, amarrés par des cordes, gisaient encore ! J'en comptai quatre – quatre hommes, dont l'un se tenait debout, au gouvernail – puis une femme tenant un enfant dans ses bras.

Quelle scène ! Nous étions muets, le cœur palpitant, devant ce naufrage. Le *Nautilus* tourna autour du navire submergé, et, un instant, je pus lire sur son tableau d'arrière :

Florida, Sunderland.

Ce terrible spectacle inaugurait la série des catastrophes maritimes que le *Nautilus* devait rencontrer sur sa route. Depuis qu'il suivait des mers plus fréquentées, nous apercevions souvent des coques naufragées qui achevaient de pourrir èntre deux eaux, et, plus profondément, des canons, des boulets, des ancres, des chaînes, et mille autres objets de fer, que la rouille dévorait.

Après avoir touché le tropique du Capricorne par le cent trente-cinquième degré de longitude, le *Nautilus* se dirigea

Nous étions muets, le cœur palpitant, devant ce naufrage.

vers l'ouest-nord-ouest, remontant toute la zone intertropicale.

Le 2 janvier, nous avions fait onze mille trois cent quarante milles, depuis notre point de départ dans les mers du Japon. Devant l'éperon du *Nautilus* s'étendaient les dangereux parages de la mer de Corail, sur la côte nord-est de l'Australie.

Les plans inclinés du navire nous entraînaient à une grande profondeur, et je ne pus rien voir de ces hautes murailles coralligènes[1].

Le 4 janvier, à trois heures de l'après-midi, le Nautilus *s'approcha dangereusement de l'île de Gueboroar, située dans les passes du détroit de Torrès.*

Le *Nautilus*, flottant à fleur d'eau, s'avançait sous une allure modérée. Mes deux

---

1. Murailles coralligènes : murailles de coraux.

compagnons et moi, nous avions pris place sur la plate-forme toujours déserte. Le flot se cassait, la marée étant presque pleine.

Soudain, un choc me renversa. Le *Nautilus* venait de toucher contre un écueil, et il demeura immobile, donnant une légère gîte [1] sur bâbord.

Soudain, un choc me renversa.

Quand je me relevai, j'aperçus sur la plate-forme le capitaine Nemo et son second. Ils examinaient la situation du navire, échangeant quelques mots dans leur incompréhensible idiome [2].

Le capitaine s'approcha. « Un accident ? lui dis-je.

– Non, un incident, me répondit-il.

– Mais un incident, répliquai-je, qui vous obligera peut-être à redevenir un habitant de ces terres que vous fuyez ! »

Le capitaine Nemo me regarda d'un air

1. Gîte, *n. f.* : inclinaison sur le côté d'un navire mal équilibré.
2. Idiome, *n. m.* : langue étrangère.

singulier, et fit un geste négatif. C'était me dire assez clairement que rien ne le forcerait jamais à remettre les pieds sur un continent. Puis il dit :

« D'ailleurs, monsieur Aronnax, le *Nautilus* n'est pas en perdition. Il vous transportera encore au milieu des merveilles de l'océan. Notre voyage ne fait que commencer. C'est aujourd'hui le 4 janvier, et dans cinq jours la pleine lune. Or, je serai bien étonné si ce complaisant satellite ne soulève pas suffisamment ces masses d'eau et ne me rend pas un service que je ne veux devoir qu'à lui seul. »

Ceci dit, le capitaine Nemo, suivi de son second, redescendit à l'intérieur du *Nautilus*. Quant au bâtiment, il ne bougeait plus et demeurait immobile.

« Eh bien, monsieur ? me dit Ned Land, qui vint à moi après le départ du capitaine. Je pense que le moment est venu de fausser compagnie au capitaine Nemo.

– Ned a raison, dit Conseil, et je me range à son avis. Monsieur ne pourrait-il obtenir de son ami le capitaine Nemo de nous transporter à terre, ne fût-ce que pour ne pas perdre l'habitude de fouler du pied les parties solides de notre planète ?

– Je peux le lui demander, répondis-je, mais il refusera. »

À ma grande surprise, le capitaine Nemo m'accorda la permission que je lui demandais, et il le fit avec beaucoup de grâce et d'empressement, sans même avoir exigé de moi la promesse de revenir à bord.

Le canot fut mis à notre disposition pour le lendemain matin. Je ne cherchai pas à savoir si le capitaine Nemo nous accompagnerait. Je pensai même qu'aucun homme de l'équipage ne nous serait donné, et que Ned Land serait seul chargé de diriger l'embarcation. D'ailleurs, la terre se trouvait à deux milles au plus, et ce n'était qu'un jeu pour le Canadien de conduire ce léger canot entre les lignes de récifs si fatales aux grands navires.

Le lendemain, 5 janvier, le canot fut lancé à la mer du haut de la plate-forme.

Les avirons étaient dans l'embarcation, et nous n'avions plus qu'à y prendre place.

À huit heures, armés de fusils et de haches, nous débordions du *Nautilus*. La mer était assez calme. Une petite brise soufflait de terre.

Ned Land ne pouvait contenir sa joie. C'était un prisonnier échappé de sa prison, et il ne songeait guère qu'il lui faudrait y rentrer.

À huit heures et demie, le canot du *Nautilus* venait s'échouer doucement sur une grève de sable, après avoir heureusement franchi l'anneau coralligène qui entourait l'île de Gueboroar.

À TERRE

9

JE fus assez vivement impressionné en touchant terre. Ned Land essayait le sol du pied, comme pour en prendre possession. Il n'y avait pourtant que deux mois que nous étions, suivant l'expression du capitaine Nemo, les « passagers du *Nautilus* », c'est-à-dire, en réalité, les prisonniers de son commandant.

« Ayons l'œil aux aguets, dis-je. Quoique l'île paraisse inhabitée, elle pourrait renfermer, cependant, quelques individus qui seraient moins difficiles que nous sur la nature du gibier ! »

Tout en traversant la forêt, nous fîmes provision de fruits : bananes, noix de coco, fruits à pain... Le temps passa très vite, et il nous fallut rejoindre le canot.

À cinq heures du soir, chargés de toutes nos richesses, nous quittions le rivage de l'île, et, une demi-heure après, nous accostions le *Nautilus*. Personne ne parut à notre arrivée. L'énorme cylindre de tôle semblait désert. Les provisions embarquées, je descendis à ma chambre. J'y trouvai mon souper prêt. Je mangeai, puis je m'endormis.

Le lendemain, 6 janvier, rien de nouveau à bord. Pas un bruit à l'intérieur, pas un signe de vie. Le canot était resté le long du bord, à la place même où nous l'avions laissé. Nous résolûmes de retourner à l'île Gueboroar.

Cette fois, nous utilisâmes nos fusils. Conseil abattit un pigeon blanc et un ramier qui, embrochés et rôtis sur un lit de braise, nous parurent excellents.

À six heures du soir, nous avions regagné la plage. Notre canot était échoué à sa place habituelle. Le *Nautilus*, semblable à un long écueil, émergeait des flots à deux milles du rivage.

« Si nous ne retournions pas ce soir au *Nautilus*? dit Conseil.

– Si nous n'y retournions jamais ? » ajouta Ned Land.

En ce moment une pierre vint tomber à nos pieds, et coupa court à la proposition du harponneur.

« Une pierre ne tombe pas du ciel », dit Conseil.

Une seconde pierre, soigneusement arrondie, donna encore plus de poids à son observation.

Levés tous les trois, le fusil à l'épaule, nous étions prêts à répondre à toute attaque.

« Au canot ! » dis-je en me dirigeant vers la mer.

Il fallait, en effet, battre en retraite, car une vingtaine de naturels[1], armés d'arcs et

---

1. Naturel, *n. m.* : habitant de ce pays, indigène.

de frondes, apparaissaient sur la lisière d'un taillis, qui masquait l'horizon de droite, à cent pas à peine. Les pierres et les flèches pleuvaient.

En deux minutes, nous étions sur la grève. Charger le canot, le pousser à la mer, ce fut l'affaire d'un instant. Nous n'avions pas gagné deux encablures, que cent autres, hurlant et gesticulant, entrèrent dans l'eau jusqu'à la ceinture.

Les pierres et les flèches pleuvaient.

Vingt minutes plus tard, nous montions à bord.

Je descendis au salon, d'où s'échappaient quelques accords. Le capitaine Nemo était là, courbé sur son orgue et plongé dans une extase musicale.

« Capitaine ! » lui dis-je.

Il ne m'entendit pas.

« Capitaine ! » repris-je en le touchant de la main.

Il frissonna, et se retournant :

« Ah ! c'est vous, monsieur le professeur ?

me dit-il. Eh bien ! Avez-vous fait bonne chasse ?

– Oui, capitaine, répondis-je, mais nous avons malheureusement ramené une troupe de bipèdes[1] dont le voisinage me paraît inquiétant.

– Combien en avez-vous compté ?

– Une centaine, au moins.

– Monsieur Aronnax, répondit le capitaine Nemo, dont les doigts s'étaient replacés sur les touches de l'orgue, quand tous les indigènes de la Papouasie seraient réunis sur cette plage, le *Nautilus* n'aurait rien à craindre de leurs attaques ! »

La nuit s'écoula sans mésaventure. Les Papouas s'effrayaient, sans doute, à la seule vue du monstre échoué dans la baie, car les panneaux, restés ouverts, leur eussent offert un accès facile à l'intérieur du *Nautilus*.

À six heures du matin – 8 janvier –, je

_____

1. Bipède, *n. m.* : qui a deux pieds, l'homme.

remontai sur la plate-forme. Les ombres du matin se levaient. L'île montra bientôt, à travers les brumes dissipées, ses plages d'abord, ses sommets ensuite.

Les indigènes étaient toujours là, plus nombreux que la veille – cinq ou six cents peut-être.

Presque tous, armés d'arcs, de flèches et de boucliers, portaient à leur épaule une sorte de filet contenant ces pierres arrondies que leur fronde lance avec adresse.

Le lendemain matin, plusieurs Papouas cherchèrent à monter à bord du Nautilus.

Mais le premier qui mit la main sur la rampe de l'escalier, rejeté en arrière par je ne sais quelle force invisible, s'enfuit, poussant des cris affreux et faisant des gambades exorbitantes.

Dix de ses compagnons lui succédèrent. Dix eurent le même sort. Ce n'était plus une rampe, mais un câble de métal, tout chargé de l'électricité du bord, qui aboutissait à la plate-forme. Quiconque la touchait ressentait une formidable secousse – et cette secousse eût été mortelle, si le capitaine Nemo eût lancé dans ce conducteur tout le courant de ses appareils ! On peut réellement dire qu'entre ses assaillants et lui, il avait tendu un réseau électrique que nul ne pouvait impunément franchir.

Cependant, les Papouas épouvantés avaient battu en retraite, affolés de terreur.

Mais, en ce moment, le *Nautilus*, soulevé par les dernières ondulations du flot, quitta son lit de corail.

Son hélice battit les eaux avec une majestueuse lenteur. Sa vitesse s'accrut peu à peu, et, naviguant à la surface de l'océan, il abandonna sain et sauf les dangereuses passes du détroit de Torrès.

LES REQUINS 10

Lᴇ 19 janvier, vers deux heures, j'étais au salon, occupé à classer mes notes, lorsque le capitaine ouvrit la porte et parut. Je le saluai. Il me rendit un salut presque imperceptible, vint vers moi et me dit :

« Êtes-vous médecin, monsieur Aronnax ? »

Je m'attendais si peu à cette demande, que je le regardai quelque temps sans répondre.

« Êtes-vous médecin ? répéta-t-il.

— En effet, dis-je, je suis docteur et interne des hôpitaux. J'ai pratiqué pendant plusieurs années avant d'entrer au Muséum.

— Monsieur Aronnax, consentiriez-vous à donner vos soins à l'un de mes hommes ?

— Vous avez un malade ?

— Oui.

— Je suis prêt à vous suivre. »

Le capitaine Nemo me conduisit à l'arrière

du *Nautilus*, et me fit entrer dans une cabine située près du poste des matelots.

Là, sur un lit, reposait un homme d'une quarantaine d'années, à la figure énergique.

Je me penchai sur lui. Ce n'était pas seulement un malade, c'était un blessé. Sa tête, emmaillotée de linges sanglants, reposait sur un double oreiller. Je détachai ces linges, et le blessé, regardant de ses grands yeux fixes, me laissa faire, sans proférer une seule plainte.

La blessure était horrible. Le crâne, fracassé, montrait la cervelle à nu. La respiration du malade était lente, et quelques mouvements spasmodiques[1] des muscles agitaient sa face. Je pris le pouls du blessé. Il était intermittent[2]. Les extrémités du corps se refroidissaient déjà, et je vis que la mort s'approchait, sans qu'il me parût possible de l'enrayer.

---

1. Mouvements spasmodiques : tremblements des muscles du visage que le malade ne peut pas contrôler.

2. Intermittent, *adj.* : qui s'arrête et reprend ; irrégulier.

« D'où vient cette blessure ? demandai-je.

– Un choc du *Nautilus* a brisé un des leviers de la machine, qui a frappé cet homme. Mais votre avis sur son état ? »

J'hésitais à me prononcer.

« Vous pouvez parler, me dit le capitaine. Cet homme n'entend pas le français. »

Je regardai une dernière fois le blessé, puis je répondis :

« Cet homme sera mort dans deux heures.

– Rien ne peut le sauver ?

– Rien. »

La main du capitaine Nemo se crispa, et quelques larmes glissèrent de ses yeux.

Le lendemain matin, le capitaine Nemo vint à moi.

« Monsieur le professeur, me dit-il, vous conviendrait-il de faire aujourd'hui une excursion sous-marine ?

– Avec mes compagnons ? demandai-je.

– Si cela leur plaît.

– Nous sommes à vos ordres, capitaine.

– Veuillez donc aller revêtir vos sca-phandres. »

Du mourant ou du mort il ne fut pas question. Je rejoignis Ned Land et Conseil. Je leur fis connaître la proposition du capitaine Nemo. Conseil s'empressa d'accepter, et, cette fois, le Canadien se montra très disposé à nous suivre.

Il était huit heures du matin. À huit heures et demie, nous étions vêtus pour cette nouvelle promenade. La double porte fut ouverte, et, accompagnés du capitaine Nemo que suivaient une douzaine d'hommes de l'équipage, nous prenions pied à une profondeur de dix mètres sur le sol ferme où reposait le *Nautilus*.

Une légère pente aboutissait à un fond accidenté, par quinze brasses de profondeur environ. Ce fond différait complètement de celui que j'avais visité pendant ma première excursion sous les eaux de l'océan Pacifique. Ici, point de sable fin, point de prairies sous-

Ici, point de sable fin, point de prairies sous-marines...

marines, nulle forêt pélagienne[1]. Je reconnus immédiatement cette région merveilleuse dont, ce jour-là, le capitaine Nemo nous faisait les honneurs. C'était le royaume du corail.

Après deux heures de marche, nous avions atteint une profondeur de trois cents mètres environ, c'est-à-dire la limite extrême sur laquelle le corail commence à se former. Le capitaine Nemo s'était arrêté. Me retournant, je vis que ses hommes formaient un demi-cercle autour de leur chef. En regardant avec plus d'attention, j'observai que quatre d'entre eux portaient sur leurs épaules un objet de forme oblongue[2].

Au milieu de la clairière, sur un piédestal de rocs grossièrement entassés, se dressait une croix de corail, qui étendait ses longs bras qu'on eût dit faits d'un sang pétrifié.

C'était le royaume du corail.

---

1. Pélagienne, *adj.* : de la haute mer.
2. Oblong, -gue, *adj.* : qui est plus long que large ; allongé.

Sur un signe du capitaine Nemo, un de ses hommes s'avança, et à quelques pieds de la croix, il commença à creuser un trou avec une pioche qu'il détacha de sa ceinture.

Je compris tout ! Cette clairière était un cimetière, ce trou, une tombe, cet objet oblong, le corps de l'homme mort dans la nuit ! Le capitaine Nemo et les siens venaient enterrer leur compagnon dans cette demeure commune, au fond de cet inaccessible océan !

Jamais idées plus impressionnantes n'envahirent mon cerveau ! Je ne voulais pas voir ce que voyaient mes yeux !

Cependant, la tombe se creusait lentement. J'entendais résonner, sur le sol calcaire, le fer du pic qui étincelait parfois en heurtant quelque silex perdu au fond des eaux. Le trou s'allongeait, s'élargissait, et bientôt il fut assez profond pour recevoir le corps.

Alors, les porteurs s'approchèrent. Le

corps, enveloppé dans un tissu de byssus[1] blanc, descendit dans son humide tombe. Le capitaine Nemo, les bras croisés sur la poitrine, et tous les amis de celui qui les avait aimés s'agenouillèrent dans l'attitude de la prière… Mes deux compagnons et moi, nous nous étions religieusement inclinés.

La tombe fut alors recouverte des débris arrachés au sol, qui formèrent un léger renflement.

Quand ce fut fait, le capitaine Nemo et ses hommes se redressèrent ; puis, se rapprochant de la tombe, tous fléchirent encore le genou, et tous étendirent leur main en signe de suprême adieu…

Nous sillonnions maintenant les flots de l'océan Indien, dont les eaux sont si transparentes qu'elles donnent le vertige à qui se penche à leur surface. Le *Nautilus* y flottait

---

1. Byssus, *n. m.* : tissu très fin.

généralement entre cent et deux cents mètres de profondeur.

Pendant quelques jours, nous vîmes une grande quantité d'oiseaux aquatiques, palmipèdes, mouettes ou goélands. Quelques-uns furent tués, et, préparés d'une certaine façon, ils fournirent un gibier d'eau très acceptable. J'aperçus de magnifiques albatros[1] au cri discordant comme un braiment d'âne, des frégates[2] rapides qui pêchaient prestement les poissons de la surface, et de nombreux paille-en-queue[3], gros comme un pigeon, et dont le plumage blanc est nuancé de tons roses qui font valoir la teinte noire des ailes.

Les filets du *Nautilus* rapportèrent plusieurs sortes de tortues marines, du genre

---

1. Albatros, *n. m.* : le plus grand des oiseaux de mer, palmipède au plumage blanc et gris et au bec crochu.

2. Frégate, *n. f.* : oiseau de mer.

3. Paille-en-queue, *n. m.* : nom du phaéton. Oiseau de grande taille, à bec pointu, à longue queue prolongée par deux plumes placées au milieu et très minces.

caret, à dos bombé, et dont l'écaille est très estimée. La chair de ces tortues était généralement médiocre, mais leurs œufs formaient un régal excellent.

Quant aux poissons, ils provoquaient toujours notre admiration, quand nous surprenions à travers les panneaux ouverts les secrets de leur vie aquatique. Je remarquai plusieurs espèces qu'il ne m'avait pas été donné d'observer jusqu'alors.

Le 26 janvier, nous coupions l'Équateur sur le quatre-vingt-deuxième méridien, et nous rentrions dans l'hémisphère boréal[1].

Nous coupions l'Équateur.

Le 28 février, lorsque le *Nautilus* revint à midi à la surface de la mer, par 9° 4' de latitude nord, il se trouvait en vue de l'île de Ceylan.

J'allai chercher dans la bibliothèque quelque livre relatif à cette île, l'une des plus fertiles du globe.

---

1. Boréal, *adj.* : qui est au nord du globe terrestre.

Le capitaine Nemo et son second parurent en ce moment.

Le capitaine jeta un coup d'œil sur la carte. Puis, se tournant vers moi :

« L'île de Ceylan, dit-il, une terre célèbre par ses pêcheries de perles. Vous serait-il agréable, monsieur Aronnax, de visiter l'une de ses pêcheries ?

– Sans aucun doute, capitaine.

– Bien. Ce sera chose facile. Je vais donc donner l'ordre de rallier le golfe de Manaar, où nous arriverons dans la nuit. À propos, monsieur Aronnax, vous n'avez pas peur des requins ?

– Des requins ? m'écriai-je. Je vous avouerai, capitaine, que je ne suis pas encore

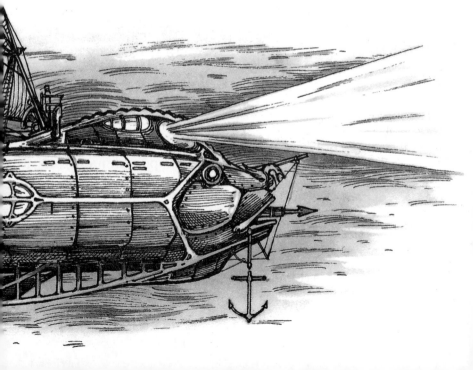

très familiarisé avec ce genre de poissons.

– Nous y sommes habitués, nous autres, répliqua le capitaine Nemo, et avec le temps, vous vous y ferez. D'ailleurs, nous serons armés, et, chemin faisant, nous pourrons peut-être chasser quelque squale[1]. C'est une chasse intéressante. Ainsi donc, à demain, monsieur le professeur, et de grand matin[2]. »

Cela dit d'un ton dégagé, le capitaine Nemo quitta le salon. Je passai ma main sur mon front où perlaient quelques gouttes de sueur froide.

La nuit arriva. Je me couchai. Je dormis assez mal. Le lendemain, à quatre heures du matin, je fus réveillé par le steward que le capitaine Nemo avait spécialement mis à mon service. Je me levai rapidement, je m'habillai et je passai dans le salon.

---

1. Squale, *n. m.* : ici, requin.
2. De grand matin : très tôt.

Le capitaine Nemo m'y attendait.

« Monsieur Aronnax, me dit-il, êtes-vous prêt à partir ?

– Je suis prêt.

– Veuillez me suivre. »

Le capitaine Nemo, Conseil, Ned Land et moi, nous prîmes place à l'arrière du canot. Le patron de l'embarcation se mit à la barre ; ses quatre compagnons appuyèrent sur leurs avirons ; la bosse[1] fut larguée et nous débordâmes[2].

Le canot se dirigea vers le sud.

À six heures, le jour se fit subitement, avec cette rapidité particulière aux régions tropicales. Les rayons solaires percèrent le rideau de nuages amoncelés sur l'horizon oriental.

Je vis distinctement la terre, avec quelques arbres épars[3] çà et là.

---

1. Bosse, *n. f.* : cordage.

2. Déborder une embarcation : l'éloigner du bord du navire où elle est accostée.

3. Épars, -se, *adj.* : dispersé çà et là, éparpillé.

Le canot s'avança vers l'île de Manaar, qui s'arrondissait dans le sud. Le capitaine Nemo s'était levé de son banc et observait la mer.

Sur un signe de lui, l'ancre fut mouillée, et la chaîne courut à peine, car le fond n'était pas à plus d'un mètre. Je commençai à revêtir mon lourd vêtement de mer. Le capitaine Nemo et mes deux compagnons s'habillaient aussi. Une dernière question me restait à adresser au capitaine Nemo :

Des fusils ! À quoi bon ?

« Et nos armes, lui demandai-je, nos fusils ?

– Des fusils ! À quoi bon ? Vos montagnards n'attaquent-ils pas l'ours un poignard à la main, et l'acier n'est-il pas plus sûr que le plomb ? Voici une lame solide. Passez-la à votre ceinture et partons. »

Je regardai mes compagnons. Ils étaient armés comme nous, et, de plus, Ned Land brandissait un énorme harpon qu'il avait déposé dans le canot avant de quitter le *Nautilus*.

Puis, suivant l'exemple du capitaine, je me laissai coiffer de la pesante sphère de cuivre, et nos réservoirs à air furent immédiatement mis en activité.

Un instant après, les matelots de l'embarcation nous débarquaient les uns après les autres, et, par un mètre et demi d'eau, nous prenions pied sur un sable uni. Le capitaine Nemo nous fit un signe de la main. Nous le suivîmes, et par une pente douce nous disparûmes sous les flots.

Bientôt s'ouvrit devant nos pas une vaste grotte. Le capitaine Nemo y entra. Nous après lui.

Après avoir descendu une pente assez raide, nos pieds foulèrent le fond d'une sorte de puits circulaire. Là, le capitaine Nemo s'arrêta, et de la main il nous indiqua un objet que je n'avais pas encore aperçu.

C'était une huître de dimension extraordinaire, un tridacne gigantesque dont la largeur dépassait deux mètres. Je m'approchai

Bientôt s'ouvrit devant nos pas une vaste grotte.

de ce mollusque phénoménal. J'estimai son poids à trois cents kilogrammes.

Le capitaine Nemo connaissait évidemment l'existence de ce bivalve[1].

Les deux valves du mollusque étaient entrouvertes. Le capitaine s'approcha et introduisit son poignard entre les coquilles pour les empêcher de se rabattre. Là, entre les plis foliacés[2], je vis une perle dont la grosseur égalait celle d'une noix de cocotier. Sa forme globuleuse, sa limpidité parfaite, son orient[3] admirable en faisaient un bijou d'un inestimable prix. Emporté par la curiosité, j'étendais la main pour la saisir, pour la peser, pour la palper ! Mais le capitaine m'arrêta, fit un signe négatif, et, retirant son poignard par un mouvement rapide, il laissa les deux valves se refermer subitement.

---

1. Bivalve, *n. m.* : coquille composée de deux parties jointes par un muscle. Ex. : la moule.

2. Foliacé, *adj.* : qui a l'aspect, la forme d'une feuille.

3. Orient, *n. m.* : reflet nacré des perles, rappelant la lumière du soleil levant.

Je compris alors quel était le dessein du capitaine Nemo. En laissant cette perle enfouie sous le manteau du tridacne, il lui permettait de s'accroître insensiblement. Avec chaque année la sécrétion du mollusque y ajoutait de nouvelles couches concentriques. Seul, le capitaine connaissait la grotte où « mûrissait » cet admirable fruit de la nature ; seul il l'élevait, pour ainsi dire, afin de la transporter un jour dans son précieux musée.

La visite à l'opulent tridacne était terminée. Le capitaine Nemo quitta la grotte et nous remontâmes au milieu de ces eaux claires que ne troublait pas encore le travail des plongeurs.

Dix minutes après, le capitaine Nemo s'arrêtait soudain. D'un geste, il nous ordonna de nous blottir près de lui au fond d'une large anfractuosité[1]. Sa main se dirigea vers

---

1. Anfractuosité, *n. f.* : creux profond et irrégulier, recoin où l'on peut se cacher.

un point de la masse liquide, et je regardai attentivement.

À cinq mètres de moi, une ombre apparut et s'abaissa jusqu'au sol. L'inquiétante idée des requins traversa mon esprit. Mais je me trompais. C'était un homme, un pêcheur qui venait glaner avant la récolte. J'apercevais le fond de son canot mouillé à quelques pieds au-dessus de sa tête. Il plongeait, et remontait successivement. Une pierre taillée en pain de sucre et qu'il serrait du pied, tandis qu'une corde la rattachait à son bateau, lui servait à descendre plus rapidement au fond de la mer.

Arrivé au sol, par cinq mètres de profondeur environ, il se précipitait à genoux et remplissait son sac de pintadines[1] ramassées au hasard. Puis, il remontait, vidait son sac, ramenait sa pierre, et recommençait son opération qui ne durait que trente secondes.

À cinq mètres de moi, une ombre apparut...

---

1. Pintadine, *n. f.* : huître perlière.

Ce plongeur ne nous voyait pas. L'ombre du rocher nous dérobait à ses regards.

Tout d'un coup, une ombre gigantesque apparaissait au-dessus du malheureux plongeur. C'était un requin de grande taille qui s'avançait diagonalement, les mâchoires ouvertes ! J'étais muet d'horreur, incapable de faire un mouvement.

Le vorace animal, d'un vigoureux coup de nageoire, s'élança vers l'Indien, qui se jeta de côté et évita la morsure du requin, mais non le battement de sa queue, car cette queue, le frappant à la poitrine, l'étendit sur le sol.

Le requin revint, et, se retournant sur le dos, il s'apprêtait à couper l'Indien en deux, quand je sentis le capitaine Nemo, posté près de moi, se lever subitement. Puis, son poignard à la main, il marcha droit au monstre, prêt à lutter corps à corps avec lui.

Le squale, au moment où il allait happer le malheureux pêcheur, aperçut son nouvel adversaire, et se replaçant sur le ventre, il se

J'étais muet d'horreur.

dirigea rapidement vers lui. Le capitaine, se jetant de côté, évita le choc et lui enfonça son poignard dans le ventre. Mais tout n'était pas dit. Un combat terrible s'engagea.

J'aperçus l'audacieux capitaine, cramponné à l'une des nageoires de l'animal, luttant corps à corps avec le monstre, labourant de coups de poignard le ventre de son ennemi, sans pouvoir toutefois porter le coup définitif, c'est-à-dire l'atteindre en plein cœur.

Le capitaine tomba sur le sol, renversé par la masse énorme qui pesait sur lui. Puis, les mâchoires du requin s'ouvrirent démesurément, et c'en était fait du capitaine si Ned Land, se précipitant vers le requin, ne l'eût frappé au cœur de sa terrible pointe.

Cependant Ned Land avait dégagé le capitaine. Celui-ci, relevé sans blessures, alla droit à l'Indien, coupa vivement la corde qui le liait à sa pierre, le prit dans ses bras et, d'un vigoureux coup de talon, il remonta à la surface de la mer.

Nous le suivîmes tous trois, et, en quelques instants, miraculeusement sauvés, nous atteignions l'embarcation du pêcheur.

Le premier soin du capitaine Nemo fut de rappeler ce malheureux à la vie.

Sur un signe du capitaine, nous regagnâmes le banc des pintadines, et, suivant la route déjà parcourue, après une demi-heure de marche nous rencontrions l'ancre qui rattachait au sol le canot du *Nautilus*.

Une fois embarqués, chacun de nous, avec l'aide des matelots, se débarrassa de sa lourde carapace de cuivre.

La première parole du capitaine Nemo fut pour le Canadien.

« Merci, maître Land », lui dit-il.

LE TRÉSOR DE VIGO

11

Pendant la journée du 29 janvier, l'île de Ceylan disparut sous l'horizon.

Le lendemain – 30 janvier –, lorsque le *Nautilus* remonta à la surface de l'océan, il n'avait plus aucune terre en vue. Il faisait route au nord-nord-ouest, et se dirigeait vers cette mer d'Oman, creusée entre l'Arabie et la péninsule indienne, qui sert de débouché au golfe Persique.

C'était évidemment une impasse, sans issue possible[1]. Où nous conduisait donc le capitaine Nemo ? Je n'aurais pu le dire.

Le 7 février, nous embouquions[2] le détroit

1. On commençait alors à peine à creuser le canal de Suez.
2. Embouquer : s'engager dans le détroit.

de Bab el-Mandeb. À midi, nous sillonnions les flots de la mer Rouge.

Le 8 février, dès les premières heures du jour, Moka nous apparut, ville maintenant ruinée, dont les murailles tombent au seul bruit du canon, et qu'abritent çà et là quelques dattiers verdoyants. Cité importante, autrefois, qui renfermait six marchés publics, vingt-six mosquées, et à laquelle ses murs, défendus par quatorze forts, faisaient une ceinture de trois kilomètres.

Puis, le *Nautilus* se rapprocha des rivages africains où la profondeur de la mer est plus considérable. Là, entre deux eaux d'une limpidité de cristal, par les panneaux ouverts, il nous permit de contempler d'admirables buissons de coraux éclatants, et de vastes pans de rochers revêtus d'une splendide fourrure verte d'algues et de fucus[1]. Quel indescriptible spectacle !

---

1. Fucus, *n. m.* : algue brune.

Le 11 février, nous arrivâmes en vue d'un passage souterrain découvert par le capitaine Nemo et connu de lui seul. Ce tunnel reliait la mer Rouge à la Méditerranée.

À dix heures un quart, le capitaine Nemo prit lui-même la barre. Une large galerie, noire et profonde, s'ouvrait devant nous. Le *Nautilus* s'y engouffra hardiment. Un bruissement inaccoutumé se fit entendre sur ses flancs. C'étaient les eaux de la mer Rouge que la pente du tunnel précipitait vers la Méditerranée. Le *Nautilus* suivait le torrent, rapide comme une flèche, malgré les efforts de sa machine qui, pour résister, battait les flots à contre-hélice.

Sur les murailles étroites du passage, je ne voyais plus que des raies éclatantes, des lignes droites, des sillons de feu tracés par la vitesse sous l'éclat de l'électricité. Mon cœur palpitait, et je le comprimais de la main.

À dix heures trente-cinq minutes, le capitaine Nemo abandonna la roue du gouvernail, et se retournant vers moi :

« La Méditerranée », me dit-il.

En moins de vingt minutes, le *Nautilus*, entraîné par ce torrent, venait de franchir l'isthme[1] de Suez.

Un torrent nous avait portés d'une mer à l'autre.

Le lendemain, 12 février, au lever du jour, le *Nautilus* remonta à la surface des flots. Je me précipitai sur la plate-forme. À trois milles dans le sud se dessinait la vague silhouette de Péluse[2]. Un torrent nous avait portés d'une mer à l'autre.

Pendant la nuit du 16 au 17 février, nous étions entrés dans le second bassin méditerranéen, dont les plus grandes profondeurs se trouvent par trois mille mètres. Le *Nautilus*, sous l'impulsion de son hélice, glissant sur

---

1. Isthme, *n. m.* : bande de terre entre deux mers ou deux golfes, reliant un continent ou une presqu'île à un autre continent.
2. Péluse : ancienne ville et port d'Égypte.

ses plans inclinés, s'enfonça jusqu'aux dernières couches de la mer.

Là, à défaut des merveilles naturelles, la masse des eaux offrit à mes regards bien des scènes émouvantes et terribles. En effet, nous traversions alors toute cette partie de la Méditerranée si féconde en sinistres[1]. De la côte algérienne aux rivages de la Provence, que de navires ont fait naufrage, que de bâtiments ont disparu !

J'observai que les fonds méditerranéens étaient plus encombrés de ces sinistres épaves à mesure que le *Nautilus* se rapprochait du détroit de Gibraltar. Les côtes d'Afrique et d'Europe se resserrent alors, et dans cet étroit espace, les rencontres sont fréquentes. Je vis là de nombreuses carènes de fer, des ruines fantastiques de steamers[2], les uns couchés, les autres debout, semblables à

Que de navires ont fait naufrage, que de bâtiments ont disparu !

---

1. Sinistre, *n. m.* : événement catastrophique naturel.
2. Steamer, *n. m.* : bateau à vapeur.

des animaux formidables. Un de ces bateaux aux flancs ouverts, sa cheminée courbée, ses roues dont il ne restait plus que la monture, son gouvernail séparé de l'étambot[1] et retenu encore par une chaîne de fer, son tableau d'arrière rongé par les sels marins, se présentait sous un aspect terrible ! Combien d'existences brisées dans son naufrage ! Combien de victimes entraînées sous les flots !

Cependant, le *Nautilus*, indifférent et rapide, courait à toute hélice au milieu de ces ruines. Le 18 février, vers trois heures du matin, il se présentait à l'entrée du détroit de Gibraltar.

La Méditerranée, la mer bleue par excellence, la « grande mer » des Hébreux, la « mer » des Grecs, le *mare nostrum* des Romains, bordée d'orangers, d'aloès, de cactus, de pins maritimes, embaumée du parfum des myrtes[2], encadrée de rudes mon-

---

1. Étambot, *n. m.* : pièce reliant la quille au gouvernail.

2. Myrte, *n. m.* : arbre à feuilles persistantes et fleurs blanches odorantes.

tagnes, saturée d'un air pur et transparent…
J'estime à six cents lieues environ le chemin
que le *Nautilus* parcourut sous les flots de
cette mer, et ce voyage, il l'accomplit en
deux fois vingt-quatre heures. Partis le
matin du 16 février des parages de la Grèce,
le 18, au soleil levant, nous avions franchi le
détroit de Gibraltar.

Il fut évident pour moi que cette
Méditerranée, resserrée au milieu de ces
terres qu'il voulait fuir, déplaisait au capitaine Nemo.

L'Atlantique !
Le *Nautilus* en brisait les eaux sous le
tranchant de son éperon. Où allions-nous
maintenant, et que nous réservait l'avenir ?

L'obsession de fuir le sous-marin n'avait
pas quitté Ned Land. Ce matin-là, il entra
dans ma cabine.

« Ce soir, à neuf heures, dit-il, nous ne serons qu'à quelques milles de la côte espagnole. La nuit est sombre. Le vent souffle du large. Les avirons, le mât et la voile sont dans le canot. Je suis même parvenu à y porter quelques provisions. Je me suis procuré une clef anglaise pour dévisser les écrous qui attachent le canot à la coque du *Nautilus*. À ce soir ! »

À neuf heures moins quelques minutes, je collai mon oreille près de la porte du capitaine. Nul bruit. Je quittai ma chambre, et je revins au salon qui était plongé dans une demi-obscurité, mais désert.

En ce moment, les frémissements de l'hélice diminuèrent sensiblement, puis ils cessèrent tout à fait. Pourquoi ce changement dans les allures du *Nautilus*? Cette halte favorisait-elle ou gênait-elle les desseins de Ned Land, je n'aurais pu le dire.

Soudain, un léger choc se fit sentir. Je compris que le *Nautilus* venait de s'arrêter sur le fond de l'océan. Mon inquiétude redoubla. J'avais envie de rejoindre Ned Land pour l'engager à remettre sa tentative. Je sentais que notre navigation ne se faisait plus dans les conditions ordinaires.

En ce moment, la porte du grand salon s'ouvrit, et le capitaine Nemo parut. Il m'aperçut, et, sans autre préambule :

« Ah ! monsieur le professeur, dit-il d'un ton aimable, je vous cherchais. Savez-vous votre histoire d'Espagne ? »

On saurait à fond l'histoire de son propre pays que, dans les conditions où je me trouvais, l'esprit troublé, la tête perdue, on ne pourrait en citer un mot.

« Eh bien, reprit le capitaine Nemo, savez-vous l'histoire d'Espagne ?

– Très mal, répondis-je.

– Voilà bien les savants, dit le capitaine, ils ne savent pas. Alors, asseyez-vous, ajouta-t-il, et je vais vous raconter un curieux épisode de cette histoire. »

Le Nautilus venait de s'arrêter sur le fond de l'océan.

Le capitaine s'étendit sur un divan, et, machinalement, je pris place auprès de lui, dans la pénombre.

« Monsieur le professeur, me dit-il, écoutez-moi bien. Cette histoire vous intéressera par un certain côté, car elle répondra à une question que sans doute vous n'avez pu résoudre.

– Je vous écoute, capitaine, dis-je, ne sachant où mon interlocuteur voulait en venir, et me demandant si cet incident se rapportait à nos projets de fuite.

– *Le 22 octobre 1702, un certain amiral de Château-Renault, dont les vaisseaux chargés d'or mouillaient dans la baie de Vigo, fut attaqué par les Anglais. Il préféra alors incendier et saborder[1] ses galions[2]*

---

1. Se saborder : couler son propre navire.

2. Galion, *n. m.* : grand bateau de commerce utilisé autrefois par les Espagnols pour le transport de l'or et de l'argent.

plutôt que d'abandonner les richesses du convoi entre des mains ennemies.

– Eh bien ? lui demandai-je.

– Eh bien, monsieur Aronnax, me répondit le capitaine Nemo, nous sommes dans cette baie de Vigo, et il ne tient qu'à vous d'en pénétrer les mystères. »

Le capitaine se leva et me pria de le suivre. J'avais eu le temps de me remettre. J'obéis. Le salon était obscur, mais à travers les vitres transparentes étincelaient les flots de la mer. Je regardai.

Autour du *Nautilus*, dans un rayon d'un demi-mille, les eaux apparaissaient imprégnées de lumière électrique. Le fond sableux était net et clair. Des hommes de l'équipage, revêtus de scaphandres, s'occupaient à déblayer des tonneaux à demi pourris, des caisses éventrées, au milieu d'épaves encore noircies. De ces caisses, de ces barils, s'échappaient des lingots d'or et d'argent, des cascades de piastres[1] et de bijoux. Le sable en était jonché. Puis, chargés de ce précieux butin, ces hommes revenaient au *Nautilus*, y déposaient leur fardeau et allaient reprendre cette inépuisable pêche d'argent et d'or.

Je comprenais. C'était ici le théâtre de la bataille du 22 octobre 1702.

Ici, le capitaine Nemo venait encaisser, suivant ses besoins, les millions dont il lestait[2] son *Nautilus*.

« Hélas ! dis-je. Tant de richesses perdues !

– Perdues ? répondit-il en s'animant. Croyez-vous donc, monsieur, que ces richesses soient perdues, alors que c'est moi qui les ramasse ? Est-ce pour moi, selon vous, que je me donne la peine de recueillir

---

1. Piastre, *n. f.* : monnaie d'argent qui se fabriquait en Espagne et en divers pays.

2. Lester : garnir de lest un navire, le charger de matière lourde au fond de sa cale pour assurer sa stabilité.

ces trésors ? Qui vous dit que je n'en fais pas un bon usage ? Croyez-vous que j'ignore qu'il existe des êtres souffrants, des races opprimées sur cette terre, des misérables à soulager, des victimes à venger ? Ne comprenez-vous pas ?... »

Le capitaine Nemo s'arrêta sur ces dernières paroles, regrettant peut-être d'avoir trop parlé. Mais j'avais deviné. Quels que fussent les motifs qui l'avaient forcé à chercher l'indépendance sous les mers, avant tout il était resté un homme ! Son cœur palpitait encore aux souffrances de l'humanité, et son immense charité s'adressait aux races asservies comme aux individus !

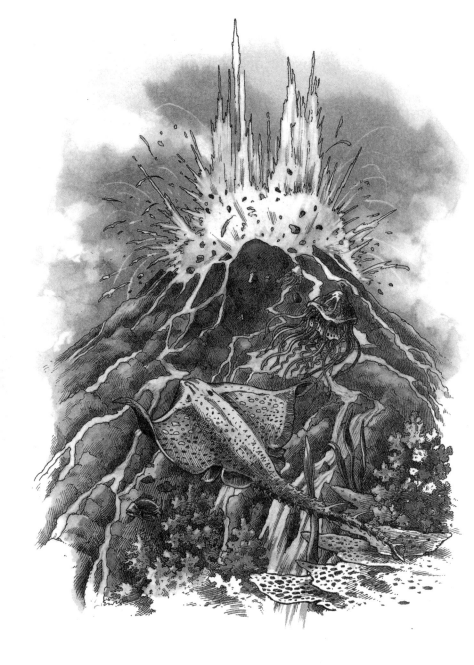

UN CONTINENT DISPARU

12

LE lendemain matin, 19 février, je vis entrer le Canadien dans ma chambre. J'attendais sa visite. Il avait l'air très désappointé.

« Eh bien, monsieur ? me dit-il.

– Eh bien, Ned, le hasard s'est mis contre nous hier.

– Oui ! Il a fallu que ce damné capitaine s'arrêtât précisément à l'heure où nous allions fuir son bateau. »

Je racontai alors au Canadien les incidents de la veille, dans le secret espoir de le ramener à l'idée de ne point abandonner le capitaine ; mais mon récit n'eut d'autre résultat que le regret énergiquement exprimé par Ned de n'avoir pu faire pour son compte une promenade sur le champ de bataille de Vigo.

« Enfin, dit-il, tout n'est pas fini ! Ce n'est qu'un coup de harpon perdu ! Une autre fois nous réussirons, et dès ce soir s'il le faut... »

Vers onze heures et demie, notre appareil remonta à la surface de l'océan. Je m'élançai vers la plate-forme. Ned Land m'y avait précédé.

Plus de terres en vue. Rien que la mer immense.

Le soir, vers onze heures, je reçus la visite très inattendue du capitaine Nemo. Il me demanda fort gracieusement si je me sentais fatigué d'avoir veillé la nuit précédente. Je répondis négativement.

« Alors, monsieur Aronnax, je vous proposerai une curieuse excursion. Vous n'avez encore visité les fonds sous-marins que le jour et sous la clarté du soleil. Vous conviendrait-il de les voir par une nuit obscure ?

– Très volontiers.

– Cette promenade sera fatigante, je vous en préviens. Il faudra marcher longtemps et gravir une montagne. Les chemins ne sont pas très bien entretenus.

– Ce que vous me dites là, capitaine, redouble ma curiosité.

– Venez donc, monsieur le professeur, nous allons revêtir nos scaphandres. »

Arrivé au vestiaire, je vis que ni mes compagnons ni aucun homme de l'équipage ne devait nous suivre pendant cette excursion. Le capitaine Nemo ne m'avait pas même proposé d'emmener Ned ou Conseil.

En quelques instants, nous eûmes revêtu nos appareils. On plaça sur notre dos les réservoirs abondamment chargés d'air, mais les lampes électriques n'étaient pas préparées. Je le fis observer au capitaine.

« Elles nous seraient inutiles », répondit-il.

Quelques minutes plus tard, après la manœuvre habituelle, nous prenions pied sur le fond de l'Atlantique, à une profondeur de trois cents mètres.

Minuit approchait. Les eaux étaient profondément obscures, mais le capitaine Nemo me montra dans le lointain un point rougeâtre, une sorte de large lueur, qui brillait à deux milles environ du *Nautilus*. Nous marchions l'un près de l'autre, directement sur le feu signalé. Après une demi-heure de marche, le sol devint rocailleux.

Cependant, la clarté rougeâtre qui nous guidait, s'accroissait et enflammait l'horizon. La présence de ce foyer sous les eaux m'intriguait au plus haut degré. Il était une heure du matin. Nous étions arrivés aux premières rampes de la montagne. Mais pour les aborder, il fallut s'aventurer par les sentiers difficiles d'un vaste taillis.

Oui ! un taillis d'arbres morts, sans feuilles, sans sève, arbres minéralisés sous l'action des eaux, et que dominaient çà et là des pins gigantesques.

La montagne ne s'élevait que de sept à huit cents pieds au-dessus de la plaine ; mais de son versant opposé, elle dominait d'une hauteur double le fond en contrebas de cette portion de l'Atlantique. C'était un volcan que cette montagne. À cinquante pieds au-dessous du pic, au milieu d'une pluie de pierres et de scories[1], un large cratère vomissait des torrents de lave, qui se dispersaient en cascade de feu au sein de la masse liquide. Ainsi posé, ce volcan, comme un immense flambeau, éclairait la plaine inférieure jusqu'aux dernières limites de l'horizon.

Là, sous mes yeux, ruinée, abîmée, jetée bas, apparaissait une ville détruite, ses toits effondrés, ses temples abattus, ses arcs disloqués, ses colonnes gisant à terre. Plus loin, quelques restes d'un gigantesque aqueduc ;

Là, sous mes yeux, ruinée, abîmée, jetée bas, une ville détruite.

---

1. Scorie, *n. f.* : matière volcanique provenant généralement du refroidissement superficiel des coulées de lave.

ici l'exhaussement empâté d'une acropole[1], avec les formes flottantes d'un Parthénon[2]; là, des vestiges de quai, comme si quelque antique port eût abrité jadis sur les bords d'un océan disparu les vaisseaux marchands ; plus loin encore, de longues lignes de murailles écroulées, de larges rues désertes, toute une Pompéi enfouie sous les eaux, que le capitaine Nemo ressuscitait à mes regards !

Où étais-je ?

Le capitaine Nemo vint à moi et, ramassant un morceau de pierre crayeuse, il s'avança vers un roc de basalte noir et traça ce seul mot : ATLANTIDE.

L'Atlantide ! C'était donc cette région engloutie ! Combien de souvenirs historiques l'inscription du capitaine Nemo faisait palpiter dans mon esprit ! Ainsi donc, je foulais du pied l'une des montagnes de ce continent !

---

1. Acropole, *n. f.* : ville haute des anciennes cités grecques, comportant des fortifications et des sanctuaires.

2. Le Parthénon : le plus beau temple de l'Acropole d'Athènes.

Nous restâmes à cette place pendant une heure entière, contemplant la vaste plaine sous l'éclat des laves qui prenaient parfois une intensité surprenante. Les bouillonnements intérieurs faisaient courir de rapides frissonnements sur l'écorce de la montagne. Des bruits profonds, nettement transmis par ce milieu liquide, se répercutaient avec une majestueuse ampleur. Puis nous descendîmes rapidement la montagne. La forêt minérale une fois dépassée, j'aperçus le fanal[1] du *Nautilus* qui brillait comme une étoile. Le capitaine marcha droit à lui, et nous étions rentrés à bord au moment où les premières teintes de l'aube blanchissaient la surface de l'océan.

La direction du *Nautilus* ne s'était pas modifiée. Tout espoir de revenir vers les

---

1. Fanal, *n. m.* : grosse lanterne servant de signal.

mers européennes devait donc être momentanément rejeté. Le capitaine Nemo maintenait le cap vers le sud. Où nous entraînait-il ? Je n'osais l'imaginer.

Jusqu'au 12 mars, le *Nautilus*, tenant le milieu de l'Atlantique, nous emporta avec une vitesse constante de cent lieues par vingt-quatre heures.

Aucun incident particulier ne signala notre voyage. Je vis peu le capitaine. Il travaillait. Dans la bibliothèque je trouvais souvent des livres qu'il laissait entrouverts, et surtout des livres d'histoire naturelle.

Quelquefois, j'entendais résonner les sons mélancoliques de son orgue, dont il jouait avec beaucoup d'expression, mais la nuit seulement, au milieu de la plus secrète obscurité, lorsque le *Nautilus* s'endormait dans les déserts de l'océan.

Les poissons observés par Conseil et par moi, pendant cette période, différaient peu de ceux que nous avions déjà étudiés sous d'autres latitudes. Les principaux furent quelques squales galonnés, puis des squales-perlons, gris cendré.

Des troupes élégantes et folâtres de dauphins nous accompagnèrent pendant des jours entiers. Ils allaient par bandes de cinq ou six, chassant en meute comme les loups dans les campagnes.

Pendant la nuit du 13 au 14 mars, le *Nautilus* reprit sa direction vers le sud. Je pensais qu'à la hauteur du cap Horn, il mettrait le cap à l'ouest afin de rallier les mers du Pacifique et d'achever son tour du monde. Il n'en fit rien et continua de remonter vers les régions australes. Où voulait-il donc aller ? Au pôle ? C'était insensé.

Vers onze heures du matin, étant à la surface de l'océan, le *Nautilus* tomba au milieu d'une troupe de baleines. Rencontre qui ne me surprit pas, car je savais que ces animaux, chassés à outrance, se sont réfugiés dans les bassins des hautes latitudes.

« Ah ! s'écria Ned Land, si j'étais à bord d'un baleinier, voilà une rencontre qui me ferait plaisir !

– Quoi ! Ned, répondis-je, vous n'êtes pas encore revenu de vos vieilles idées de pêche ?

– Est-ce qu'un pêcheur de baleines, monsieur, peut oublier son ancien métier ? »

Le capitaine Nemo observa le troupeau de cétacés qui se jouait sur les eaux à un mille du *Nautilus*.

« Ce sont des baleines australes, dit-il. Il y a là la fortune d'une flotte de baleiniers.

– Eh bien ! monsieur, demanda le Canadien, ne pourrais-je leur donner la chasse, ne fût-ce que pour ne pas oublier mon ancien métier de harponneur ?

– À quoi bon, répondit le capitaine Nemo, chasser uniquement pour détruire ! Nous n'avons que faire d'huile de baleine à bord. »

LA BANQUISE 13

Lᴇ *Nautilus* avait repris son impertur-  bable direction vers le sud. Voulait-il donc atteindre le pôle ? Je ne le pensais pas, car jusqu'ici toutes les tentatives pour s'élever jusqu'à ce point du globe avaient échoué.

Le 14 mars, j'aperçus des glaces flottantes par 55° de latitude. Le *Nautilus* se maintenait à la surface de l'océan. Ned Land, ayant déjà pêché dans les mers arctiques, était familiarisé avec ce spectacle des icebergs. Conseil et moi, nous l'admirions pour la première fois. Plus nous descendions au sud, plus ces îles flot- tantes gagnaient en nombre et en importance. Les oiseaux polaires y nichaient par milliers. C'étaient des pétrels, des damiers, des puf- fins, qui nous assourdissaient de leurs cris.

La température était assez basse. Le ther- momètre, exposé à l'air extérieur, marquait deux à trois degrés au-dessous de zéro. Mais nous étions chaudement habillés de fourrures, dont les phoques ou les ours marins avaient fait les frais. L'intérieur du *Nautilus*, régulièrement chauffé par ses appareils électriques, défiait les froids les plus intenses. D'ailleurs, il lui eût suffi de s'enfoncer à quelques mètres au-dessous des flots pour y trouver une température supportable.

Deux mois plus tôt, nous aurions joui sous cette latitude d'un jour perpétuel ; mais déjà la nuit se faisait pendant trois ou quatre heures, et plus tard, elle devait jeter six mois d'ombre sur ces régions circumpolaires[1].

Le 16 mars, vers huit heures du matin, le *Nautilus*, suivant le cinquante-cinquième méridien, coupa le cercle polaire antarctique. Les glaces nous entouraient de toutes parts et fermaient l'horizon. Cependant, le

---

1. Circumpolaire, *adj.* : qui est autour du pôle.

capitaine Nemo marchait de passe en passe et s'élevait toujours.

« Mais où va-t-il ? demandai-je.

– Devant lui, répondait Conseil. Après tout, lorsqu'il ne pourra pas aller plus loin, il s'arrêtera.

– Je n'en jurerais pas ! » répondis-je.

Enfin, le 18 mars, le *Nautilus* se vit définitivement enrayé par une interminable et immobile barrière formée de montagnes soudées entre elles.

« La banquise ! » me dit le Canadien.

Le *Nautilus* dut donc s'arrêter dans son aventureuse course au milieu des champs de glace.

En effet, malgré ses efforts, malgré les moyens puissants employés pour disjoindre les glaces, le *Nautilus* fut réduit à l'immobilité.

Revenir était aussi impossible qu'avancer, car les passes s'étaient refermées derrière nous.

La jeune glace se forma sur les flancs du

*Je pense
que nous
sommes
pris.*

Nautilus avec une étonnante rapidité. Je dus avouer que la conduite du capitaine Nemo était plus qu'imprudente.

J'étais en ce moment sur la plate-forme. Le capitaine, qui observait la situation depuis quelques instants, me dit :

« Eh bien ! monsieur le professeur, qu'en pensez-vous ?

– Je pense que nous sommes pris, capitaine.

– Ah ! monsieur le professeur, répondit le capitaine Nemo d'un ton ironique, vous ne voyez qu'empêchements et obstacles ! Moi, je vous affirme que non seulement le *Nautilus* se dégagera, mais qu'il ira plus loin encore !

– Plus loin au sud ? demandai-je en regardant le capitaine.

– Oui, monsieur, il ira au pôle.

– Au pôle ! m'écriai-je, ne pouvant retenir un mouvement d'incrédulité.

– Oui ! répondit froidement le capitaine, au pôle antarctique, à ce point inconnu où se croisent tous les méridiens du globe.

– Je veux vous croire, capitaine, repris-je d'un ton un peu ironique. Je vous crois ! Allons, en avant ! Il n'y a pas d'obstacles pour nous ! Brisons cette banquise ! Faisons-la sauter, et si elle résiste, donnons des ailes au *Nautilus*, afin qu'il puisse passer par-dessus !

– Par-dessus, monsieur le professeur ? répondit tranquillement le capitaine Nemo. Non point par-dessus, mais par-dessous.

– Par-dessous ! m'écriai-je.

– En effet, monsieur le professeur. Pour un pied que les icebergs ont au-dessus de la mer, ils en ont trois au-dessous. Or, puisque ces montagnes de glace ne dépassent pas une hauteur de cent mètres, elles ne s'enfoncent que de trois cents. Or, qu'est-ce que trois cents mètres pour le *Nautilus* ?

– Rien, monsieur. »

Les préparatifs de cette audacieuse tentative venaient de commencer. Les puissantes pompes du *Nautilus* refoulaient l'air dans

Moi, je vous affirme que le Nautilus *se dégagera.*

les réservoirs et l'emmagasinaient à une haute pression. Vers quatre heures, le capitaine Nemo m'annonça que les panneaux de la plate-forme allaient être fermés. Je jetai un dernier regard sur l'épaisse banquise que nous allions franchir. Le temps était clair, l'atmosphère assez pure, le froid très vif, douze degrés au-dessous de zéro ; mais le vent s'étant calmé, cette température ne semblait pas trop insupportable.

Une dizaine d'hommes montèrent sur les flancs du *Nautilus* et, armés de pics, ils cassèrent la glace autour de la carène qui fut bientôt dégagée. Opération rapidement pratiquée, car la jeune glace était mince encore. Tous, nous rentrâmes à l'intérieur. Les réservoirs habituels se remplirent de cette eau tenue libre à la flottaison. Le *Nautilus* ne tarda pas à descendre.

J'avais pris place au salon avec Conseil. Par la vitre ouverte, nous regardions les couches inférieures de l'océan austral. Le thermomètre remontait. L'aiguille du manomètre déviait sur le cadran.

À trois cents mètres environ, ainsi que l'avait prévu le capitaine Nemo, nous flottions sous la surface ondulée de la banquise. Mais le *Nautilus* s'immergea plus bas encore. Il atteignit une profondeur de huit cents mètres.

Sous cette mer libre, il avait pris directement le chemin du pôle, sans s'écarter du cinquante-deuxième méridien. Le *Nautilus* prit une vitesse moyenne de vingt-six milles à l'heure, la vitesse d'un train express. S'il la conservait, quarante heures lui suffisaient pour atteindre le pôle.

Le lendemain 19 mars, à cinq heures du matin, je repris mon poste dans le salon. Le *Nautilus* remontait alors vers la surface, mais prudemment, en vidant lentement ses réservoirs. Mon cœur battait. Allions-nous émerger et retrouver l'atmosphère libre du pôle ?

Non. Un choc m'apprit que nous avions

heurté la surface inférieure de la banquise, très épaisse encore.

Pendant cette journée, le *Nautilus* recommença plusieurs fois cette même expérience, et toujours il vint se heurter contre la muraille qui plafonnait au-dessus de lui.

Le soir, aucun changement n'était survenu dans notre situation. Toujours la glace entre quatre cents et cinq cents mètres de profondeur. Diminution évidente, mais quelle épaisseur encore entre nous et la surface de l'océan !

Il était huit heures alors. Depuis quatre heures déjà, l'air aurait dû être renouvelé à l'intérieur du *Nautilus*, suivant l'habitude quotidienne du bord.

Mon sommeil fut pénible pendant cette nuit. Espoir et crainte m'assiégeaient tour à tour. Je me relevai plusieurs fois. Les tâtonnements du *Nautilus* continuaient.

Enfin, à six heures du matin, ce jour mémorable du 19 mars, la porte du salon s'ouvrit.

Le capitaine Nemo parut.

« La mer libre ! » me dit-il. Je me précipitai vers la plate-forme. Oui ! La mer libre. À peine quelques glaçons épars, des icebergs mobiles ; au loin une mer étendue ; un monde d'oiseaux dans les airs, et des myriades[1] de poissons sous ces eaux qui, suivant les fonds, variaient du bleu intense au vert olive. Le thermomètre marquait trois degrés centigrades au-dessus de zéro.

Le 21 mars, nous avions atteint le pôle Sud !

---

1. Myriade, *n. f.* : très grande quantité.

PRISONNIERS DES GLACES

14

L<small>E</small> lendemain, 22 mars, à six heures du matin, les préparatifs de départ furent commencés. Les dernières lueurs du crépuscule se fondaient dans la nuit. Le froid était vif.

Le thermomètre marquait douze degrés au-dessous de zéro, et quand le vent fraîchissait, il causait de piquantes morsures. Les glaçons se multipliaient sur l'eau libre.

Cependant, les réservoirs d'eau s'étaient remplis, et le *Nautilus* descendait lentement. À une profondeur de mille pieds, il s'arrêta. Son hélice battit les flots, et il s'avança droit au nord avec une vitesse de quinze milles à l'heure. Vers le soir, il flottait déjà sous l'immense carapace glacée de la banquise.

Les panneaux du salon avaient été fermés

par prudence, car la coque du *Nautilus* pouvait se heurter à quelque bloc immergé. Aussi, je passai cette journée à mettre mes notes au net. Mon esprit était tout entier à ses souvenirs du pôle. Nous avions atteint ce point inaccessible sans fatigues, sans danger.

À trois heures du matin, je fus réveillé par un choc violent. Je m'étais redressé sur mon lit et j'écoutais au milieu de l'obscurité, quand je fus précipité brusquement au milieu de la chambre. Évidemment, le *Nautilus* donnait une bande[1] considérable après avoir touché.

Je m'accotai[2] aux parois et je me traînai par les coursives jusqu'au salon qu'éclairait le plafond lumineux. Les meubles étaient renversés.

Le capitaine Nemo observa silencieusement la boussole, le manomètre, et vint poser son

---

1. Donner une bande : être incliné sur le côté, gîter.
2. S'accoter : s'appuyer d'un côté, s'accouder.

doigt sur un point du planisphère, dans cette partie qui représentait les mers australes.

« Un incident, capitaine ?

– Non, monsieur, répondit-il, un accident cette fois.

– Le *Nautilus* s'est échoué ?

– Oui. Un énorme bloc de glace, une montagne entière s'est retournée. Ce bloc, en se renversant, a heurté le *Nautilus* qui flottait sous les eaux. Puis, glissant sous sa coque et le relevant avec une irrésistible force, il l'a ramené dans des couches moins denses, où il se trouve couché sur le flanc, me répondit-il.

– La route est barrée ? lui demandai-je.

– Oui, monsieur. L'iceberg en se retournant a fermé toute issue.

– Nous sommes bloqués ?

– Oui. »

Ainsi, autour du *Nautilus*, au-dessus, au-dessous, un impénétrable mur de glace. Nous étions prisonniers de la banquise ! Le

Canadien avait frappé une table de son formidable poing. Conseil se taisait. Je regardai le capitaine. Sa figure avait repris son impassibilité habituelle. Il s'était croisé les bras. Il réfléchissait. Le *Nautilus* ne bougeait plus.

Le capitaine prit alors la parole :

« Messieurs, dit-il d'une voix calme, voilà trente-six heures que nous sommes enfouis sous les eaux, et déjà l'atmosphère alourdie du *Nautilus* demande à être renouvelée. Dans quarante-huit heures, notre réserve sera épuisée.

– Eh bien ! capitaine, soyons délivrés avant quarante-huit heures !

– Nous le tenterons, du moins, en perçant la muraille qui nous entoure.

– De quel côté ? demandai-je.

– C'est ce que la sonde nous apprendra. Je vais échouer le *Nautilus* sur le banc inférieur, et mes hommes, revêtus de scaphandres, attaqueront l'iceberg par sa paroi la moins épaisse.

– Peut-on ouvrir les panneaux du salon ?

– Sans inconvénient. »

Le *Nautilus* s'abaissa lentement et reposa sur le fond de glace par une profondeur de trois cent cinquante mètres, profondeur à laquelle était immergé le banc de glace inférieur. Le capitaine Nemo fit alors sonder la surface inférieure. Là, dix mètres de paroi nous séparaient de l'eau. Dès lors, il s'agissait d'en découper un morceau égal en superficie à la ligne de flottaison du *Nautilus*. C'était environ six mille cinq cents mètres cubes à détacher, afin de creuser un trou par lequel nous descendrions au-dessous du champ de glace.

Le travail fut immédiatement commencé et conduit avec une infatigable opiniâtreté[1]. Au lieu de creuser autour du *Nautilus*, ce qui eût entraîné de plus grandes difficultés, le capitaine Nemo fit dessiner l'immense fosse à huit mètres de sa hanche de bâbord. Puis, ses

Le Nautilus s'abaissa lentement et reposa sur le fond de la glace.

---

1. Opiniâtreté, *n. f.* : obstination, entêtement.

hommes, accompagnés de Ned Land, la taraudèrent[1] sur plusieurs points de sa circonférence. Bientôt, le pic attaqua vigoureusement cette matière compacte, et de gros blocs furent détachés de la masse. Par un curieux effet de pesanteur spécifique, ces blocs, moins lourds que l'eau, s'envolaient pour ainsi dire à la voûte du tunnel.

Après deux heures d'un travail énergique, Ned Land rentra épuisé. Ses compagnons et lui furent remplacés par des nouveaux travailleurs auxquels nous nous joignîmes, Conseil et moi. Le second du *Nautilus* nous dirigeait.

L'eau me parut singulièrement froide, mais je me réchauffai promptement en maniant le pic.

Quand je rentrai, après deux heures de travail, pour prendre quelque nourriture et

---

1. Tarauder : creuser, percer au moyen d'un taraud (outil servant à creuser).

quelque repos, l'atmosphère du *Nautilus* était déjà chargée d'acide carbonique. L'air n'avait pas été renouvelé depuis quarante-huit heures. Cependant, en un laps de douze heures, nous n'avions enlevé qu'une tranche de glace épaisse d'un mètre sur la superficie dessinée, soit environ six cents mètres cubes. En admettant que le même travail fût accompli par douze heures, il fallait encore cinq nuits et quatre jours pour mener à bonne fin cette entreprise.

« Cinq nuits et quatre jours ! dis-je à mes compagnons, et nous n'avons que deux jours d'air dans les réservoirs.

– Sans compter, répliqua Ned, qu'une fois sortis de cette damnée prison, nous serons encore emprisonnés sous la banquise et sans communication possible avec l'atmosphère ! »

Réflexion juste. L'asphyxie ne nous aurait-elle pas étouffés avant que le *Nautilus* eût pu revenir à la surface des flots ?

La situation paraissait terrible. Mais chacun l'avait envisagée en face, et tous étaient décidés à faire leur devoir jusqu'au bout.

Suivant mes prévisions, pendant la nuit, une nouvelle tranche d'un mètre fut enlevée à l'immense alvéole. Le lendemain, pendant plusieurs heures, je maniai le pic avec opiniâtreté. Ce travail me soutenait. D'ailleurs, travailler, c'était quitter le *Nautilus*, c'était respirer directement cet air pur emprunté aux réservoirs et fourni par les appareils, c'était abandonner une atmosphère appauvrie et viciée.

Quand je rentrai à bord, je faillis être asphyxié.

Vers le soir, la fosse s'était encore creusée d'un mètre. Quand je rentrai à bord, je faillis être asphyxié par l'acide carbonique dont l'air était saturé.

Ce soir-là, le capitaine Nemo dut ouvrir les robinets de ses réservoirs, et lancer quelques colonnes d'air pur à l'intérieur du *Nautilus*. Sans cette précaution, nous ne nous serions pas réveillés.

Le lendemain, 26 mars, je repris mon travail de mineur en entamant le cinquième mètre. Les parois latérales et la surface inférieure de la banquise s'épaississaient visiblement. Il était évident qu'elles se rejoindraient avant que le *Nautilus* fût parvenu à se dégager.

Le lendemain, 27 mars, six mètres de glace avaient été arrachés de l'alvéole. Quatre mètres seulement restaient à enlever. C'étaient encore quarante-huit heures de travail. L'air ne pouvait plus être renouvelé à l'intérieur du *Nautilus*. Aussi, cette journée alla-t-elle toujours en empirant.

Une lourdeur intolérable m'accabla. Vers trois heures du soir, ce sentiment d'angoisse fut porté en moi à un degré violent. J'étais étendu sans force, presque sans connaissance. Mon brave Conseil, pris des mêmes symptômes, souffrant des mêmes souffrances, ne me quittait pas.

Ce jour-là, le travail habituel fut accompli

avec plus de vigueur encore. Deux mètres seulement restaient à enlever sur toute la superficie. Deux mètres seulement nous séparaient de la mer libre. Mais les réservoirs étaient presque vides d'air. Le peu qui restait devait être conservé aux travailleurs. Pas un atome pour le *Nautilus*.

Lorsque je rentrai à bord, je fus à demi suffoqué. Quelle nuit ! De telles souffrances ne peuvent être décrites. Le lendemain, ma respiration était oppressée. Aux douleurs de tête se mêlaient d'étourdissants vertiges qui faisaient de moi un homme ivre. Mes compagnons éprouvaient les mêmes symptômes. Quelques hommes de l'équipage râlaient.

Ce jour-là, le sixième de notre emprisonnement, le capitaine Nemo, trouvant trop lents la pioche et le pic, résolut d'écraser la couche de glace qui nous séparait encore de la nappe liquide. Cet homme avait conservé son sang-froid et son énergie.

D'après son ordre, le bâtiment fut soulagé,

c'est-à-dire soulevé de la couche glacée par un changement de pesanteur spécifique. Lorsqu'il flotta on le hala[1] de manière à l'amener au-dessus de l'immense fosse dessinée suivant sa ligne de flottaison. Puis, ses réservoirs d'eau s'emplissant, il descendit et s'emboîta dans l'alvéole.

En ce moment, tout l'équipage rentra à bord, et la double porte de communication fut fermée. Le *Nautilus* reposait alors sur la couche de glace qui n'avait pas un mètre d'épaisseur et que les sondes avaient trouée en mille endroits.

Les robinets des réservoirs furent alors ouverts en grand et cent mètres cubes d'eau s'y précipitèrent, accroissant de cent mille kilogrammes le poids du *Nautilus*.

Nous attendions, nous écoutions, oubliant nos souffrances, espérant encore. Nous jouions notre salut sur un dernier coup.

---

1. Haler : tirer au moyen d'un cordage, remorquer.

Malgré les bourdonnements qui emplissaient ma tête, j'entendis bientôt des frémissements sous la coque du *Nautilus*. Un dénivellement se produisit. La glace craqua avec un fracas singulier, pareil à celui du papier qui se déchire, et le *Nautilus* s'abaissa.

« Nous passons ! » murmura Conseil à mon oreille.

Je ne pus lui répondre. Je saisis sa main. Je la pressai dans une convulsion involontaire.

Tout à coup, emporté par son effroyable surcharge, le *Nautilus* s'enfonça comme un boulet sous les eaux, c'est-à-dire qu'il tomba comme il eût fait dans le vide !

Alors toute la force électrique fut mise sur les pompes qui aussitôt commencèrent à chasser l'eau des réservoirs. Après quelques minutes, notre chute fut enrayée. Bientôt même, le manomètre indiqua un mouvement ascensionnel. L'hélice, marchant à toute vitesse, fit tressaillir la coque de tôle jusque dans ses boulons, et nous entraîna vers le nord.

Le Nautilus s'enfonça comme un boulet sous les eaux.

Mais que devait durer cette navigation sous la banquise jusqu'à la mer libre ? Un jour encore ? Je serais mort avant !

À demi étendu sur un divan de la bibliothèque, je suffoquais. Ma face était violette, mes lèvres bleues, mes facultés suspendues[1]. Je ne voyais plus, je n'entendais plus. La notion du temps avait disparu de mon esprit. Mes muscles ne pouvaient se contracter.

Je compris que j'allais mourir...

Les heures qui s'écoulèrent ainsi, je ne saurais les évaluer. Mais j'eus la conscience de mon agonie[2] qui commençait. Je compris que j'allais mourir...

Mes regards se portèrent vers l'horloge. Il était onze heures du matin. Nous devions être au 28 mars. Le *Nautilus* marchait avec une vitesse effrayante de quarante milles à l'heure. Il se tordait dans les eaux.

---

1. Facultés suspendues : arrêt de toutes les capacités, de tous les sens.

2. Agonie, *n. f.* : moment précédant immédiatement la mort.

Où était le capitaine Nemo ? Avait-il succombé ? Ses compagnons étaient-ils morts avec lui ?

En ce moment, le manomètre indiqua que nous n'étions plus qu'à vingt pieds de la surface. Un simple champ de glace nous séparait de l'atmosphère. Ne pouvait-on le briser ?

Peut-être ! En tout cas, le *Nautilus* allait le tenter. Je sentis, en effet, qu'il prenait une position oblique, abaissant son arrière et relevant son éperon. Une introduction d'eau avait suffi pour rompre son équilibre. Puis, poussé par sa puissante hélice, il attaqua l'icefield[1] par en dessous comme un formidable bélier. Il le crevait peu à peu, se retirait, donnait à toute vitesse contre le champ qui se déchirait, et enfin, emporté par un élan suprême, il s'élança sur la surface glacée qu'il écrasa de son poids.

---

1. Icefield, *n. m.* : amas de glace, résultant de la congélation des eaux de mer, situé dans les régions polaires.

Le panneau fut ouvert, on pourrait dire arraché, et l'air pur s'introduisit à flots dans toutes les parties du *Nautilus*…

Le *Nautilus* marchait rapidement. Le cercle polaire fut bientôt franchi, et le cap mis sur le promontoire de Horn. Nous étions par le travers de la pointe américaine, le 31 mars, à sept heures du soir.

Alors toutes nos souffrances passées étaient oubliées. Le souvenir de cet emprisonnement dans les glaces s'effaçait de notre esprit. Nous ne songions qu'à l'avenir.

Le 11 avril, l'Équateur était coupé. À vingt milles dans l'ouest restaient les Guyanes.

Le lendemain, 12 avril, pendant la journée, le *Nautilus* s'approcha de la côte hollandaise, vers l'embouchure du Maroni.

LES CALMARS GÉANTS 15

Le 16 avril, nous eûmes connaissance de la Martinique et de la Guadeloupe, à une distance de trente milles environ. J'aperçus un instant leurs pitons[1] élevés.

Le 20 avril, il était environ onze heures, quand Ned Land attira mon attention sur un formidable fourmillement qui se produisait à travers les grandes algues.

« Eh bien ! dis-je, ce sont là de véritables cavernes à poulpes, et je ne serais pas étonné d'y voir quelques-uns de ces monstres.

– Quoi ! fit Conseil, des calmars, de simples calmars ?

– Non, dis-je, des poulpes de grande

---

1. Piton, *n. m.* : pointe d'une montagne élevée, pic.

dimension. Mais l'ami Land s'est trompé, sans doute, car je n'aperçois rien.

– Je le regrette, répliqua Conseil. Je voudrais contempler face à face l'un de ces poulpes dont j'ai tant entendu parler et qui peuvent entraîner des navires dans le fond des abîmes. Ces bêtes-là, ça se nomme des krak…

– Craque suffit, répondit ironiquement le Canadien.

– Krakens[1], riposta Conseil, achevant son mot sans se soucier de la plaisanterie de son compagnon.

– Jamais on ne me fera croire, dit Ned Land, que de tels animaux existent.

– Pourquoi pas ? répondit Conseil. Nous avons bien cru au narval de monsieur.

– Nous avons eu tort, Conseil.

– Sans doute ! Mais d'autres y croient sans doute encore.

– C'est probable, Conseil, mais pour mon

1. Kraken, *n. m.* : monstre marin fabuleux des légendes scandinaves.

compte, je suis bien décidé à n'admettre l'existence de ces monstres que lorsque je les aurai disséqués de ma propre main.

– Ainsi, me demanda Conseil, monsieur ne croit pas aux poulpes gigantesques ?

– Eh ! Qui diable y a jamais cru ? s'écria le Canadien. Vous avez vu cela ?

– De mes propres yeux.

– Où, s'il vous plaît ?

– À Saint-Malo, repartit imperturbablement Conseil.

– Dans le port ? dit Ned Land ironiquement.

– Non, dans une église, répondit Conseil.

– Dans une église ! s'écria le Canadien.

– Oui, ami Ned. C'était un tableau qui représentait le poulpe en question !

– Bon ! fit Ned Land, éclatant de rire. Monsieur Conseil qui me fait poser ! »

Mais soudain, Ned Land se précipita vers la vitre.

« L'épouvantable bête ! » s'écria-t-il.

Je regardai à mon tour, et je ne pus réprimer un mouvement de répulsion. Devant mes yeux s'agitait un monstre horrible.

C'était un calmar de dimensions colossales, ayant huit mètres de longueur. Il marchait à reculons avec une extrême vélocité[1] dans la direction du *Nautilus*.

Devant mes yeux s'agitait un monstre horrible.

D'autres poulpes apparaissaient à la vitre de tribord. J'en comptai sept. Ils faisaient cortège au *Nautilus*, et j'entendais les grincements de leur bec sur la coque de tôle. Nous étions servis à souhait.

Tout à coup le *Nautilus* s'arrêta. Un choc le fit tressaillir dans toute sa membrure.

« Est-ce que nous avons touché ? » demandai-je.

J'allai vers le capitaine.

« Une curieuse collection de poulpes, lui dis-je, du ton dégagé que prendrait un amateur devant le cristal d'un aquarium.

---

1. Vélocité, *n. f.* : vitesse, rapidité.

– En effet, monsieur le naturaliste, me répondit-il, et nous allons les combattre corps à corps.

– Corps à corps ?

– L'hélice est arrêtée. Je pense que les mandibules[1] cornées de l'un de ces calmars se sont engagées dans ses branches. Ce qui nous empêche de marcher. Les balles électriques sont impuissantes contre ces chairs molles où elles ne trouvent pas assez de résistance pour éclater. Mais nous les attaquerons à la hache.

Nous allons les combattre corps à corps.

– Et au harpon, monsieur, dit le Canadien, si vous ne refusez pas mon aide.

– Je l'accepte, maître Land.

– Nous vous accompagnerons », dis-je, et, suivant le capitaine Nemo, nous nous dirigeâmes vers l'escalier central.

Là, une dizaine d'hommes, armés de haches d'abordage, se tenaient prêts à

---

1. Mandibule, *n. f.* : mâchoire.

l'attaque. Conseil et moi, nous prîmes deux haches. Ned Land saisit un harpon.

Le *Nautilus* était alors revenu à la surface des flots. Un des marins, placé sur les derniers échelons, dévissait les boulons du panneau. Mais les écrous étaient à peine dégagés, que le panneau se releva avec une violence extrême, évidemment tiré par la ventouse d'un bras de poulpe.

Aussitôt un de ces longs bras se glissa comme un serpent par l'ouverture, et vingt autres s'agitèrent au-dessus. D'un coup de hache, le capitaine Nemo coupa ce formidable tentacule[1], qui glissa sur les échelons en se tordant.

Au moment où nous nous pressions les uns sur les autres pour atteindre la plate-forme, deux autres bras, cinglant l'air, s'abattirent sur le marin placé devant le

---

1. Tentacule, *n. m.* : prolongement du corps des calmars, comme des bras munis de ventouses.

capitaine Nemo et l'enlevèrent avec une violence irrésistible.

Le capitaine Nemo poussa un cri et s'élança au-dehors. Nous nous étions précipités à sa suite.

Quelle scène ! Le malheureux, saisi par le tentacule et collé à ses ventouses, était balancé dans l'air au caprice de cette énorme trompe. Il râlait, il étouffait. L'infortuné était perdu. Qui pouvait l'arracher à cette puissante étreinte ? Cependant le capitaine Nemo s'était précipité sur le poulpe, et, d'un coup de hache, il lui avait encore abattu un bras. Son second luttait avec rage contre d'autres monstres qui rampaient sur les flancs du *Nautilus*. L'équipage se battait à coups de hache. Le Canadien, Conseil et moi, nous enfoncions nos armes dans ces masses charnues.

Dix ou douze poulpes avaient envahi la plate-forme et les flancs du *Nautilus*. Nous roulions pêle-mêle au milieu de ces tronçons de serpents qui tressautaient sur la plate-forme dans des flots de sang et d'encre noire. Il semblait que ces visqueux tentacules renaissaient comme les têtes de l'hydre[1]. Le harpon de Ned Land, à chaque coup, se plongeait dans les yeux glauques[2] des calmars et les crevait. Mais mon audacieux compagnon fut soudain renversé par les tentacules d'un monstre qu'il n'avait pu éviter.

Le formidable bec du calmar s'était ouvert sur Ned Land. Ce malheureux allait être coupé en deux. Je me précipitai à son secours. Mais le capitaine Nemo m'avait devancé. Sa hache disparut entre les deux énormes mandibules, et miraculeusement sauvé, le Canadien, se relevant, plongea son harpon tout entier jusqu'au triple cœur du poulpe.

---

1. Hydre, *n. f.* : animal fabuleux, serpent à sept têtes qui repoussaient quand on les lui coupait.
2. Glauque, *adj.* : verdâtre.

« Je me devais cette revanche ! » dit le capitaine Nemo au Canadien.

Ned s'inclina sans lui répondre.

Ce combat avait duré un quart d'heure. Les monstres vaincus, mutilés, frappés à mort, nous laissèrent enfin place et disparurent sous les flots.

Le capitaine Nemo, rouge de sang, immobile près du fanal, regardait la mer qui avait englouti l'un de ses compagnons, et de grosses larmes coulaient de ses yeux.

LES RUINES DU *VENGEUR*

16

Cette terrible scène du 20 avril, aucun de nous ne pourra jamais l'oublier.

Le *Nautilus* ne gardait plus de direction déterminée. Il allait, venait, flottait au gré des lames. Son hélice avait été dégagée, et cependant, il s'en servait à peine. Il naviguait au hasard.

Dix jours se passèrent ainsi. Ce fut le 1er mai seulement que le *Nautilus* reprit franchement sa route au nord.

Le 15 mai, nous étions sur l'extrémité méridionale du banc de Terre-Neuve.

Le 28 mai, il passait en vue du Land's End, entre la pointe extrême de l'Angleterre et les Sorlingues, qu'il laissa sur tribord.

Pendant toute la journée du 31 mai, le

Nautilus décrivit sur la mer une série de cercles qui m'intriguèrent vivement. Il semblait chercher un endroit qu'il avait quelque peine à trouver. À midi, le capitaine Nemo vint faire son point lui-même.

Le lendemain, 1er juin, le *Nautilus* conserva les mêmes allures. Il était évident qu'il cherchait à reconnaître un point précis de l'océan. Le capitaine Nemo vint prendre la hauteur du soleil, ainsi qu'il avait fait la veille. La mer était belle, le ciel pur. À huit milles dans l'est, un grand navire à vapeur se dessinait sur la ligne de l'horizon. Aucun pavillon ne battait à sa corne, et je ne pus reconnaître sa nationalité.

Le capitaine Nemo, quelques minutes avant que le soleil passât au méridien, prit son sextant et observa avec une précision extrême. Le calme absolu des flots facilitait son opération. Le *Nautilus* immobile ne ressentait ni roulis ni tangage[1].

---

1. Roulis et tangage, *n. m.* : mouvements de balancement que prend un navire sous l'effet de la houle.

J'étais en ce moment sur la plate-forme. Lorsque son relèvement fut terminé, le capitaine prononça ces seuls mots :

« C'est ici ! »

Il redescendit par le panneau. Avait-il vu le bâtiment qui modifiait sa marche et semblait se rapprocher de nous ? Je ne saurais le dire.

Je revins au salon. Le panneau se ferma, et j'entendis les sifflements de l'eau dans les réservoirs. Le *Nautilus* commença de s'enfoncer, suivant une ligne verticale.

Quelques minutes plus tard, il s'arrêtait à une profondeur de huit cent trente-trois mètres et reposait sur le sol.

Le plafond lumineux du salon s'éteignit alors, les panneaux s'ouvrirent, et à travers les vitres, j'aperçus la mer vivement illuminée par les rayons du fanal dans un rayon d'un demi-mille.

Par tribord, sur le fond, apparaissait un navire, rasé de ses mâts, qui devait avoir coulé par l'avant.

Quel était ce navire ? Pourquoi le *Nautilus* venait-il visiter sa tombe ?

Je ne savais que penser, quand, près de moi, j'entendis le capitaine Nemo dire d'une voix lente :

« Monsieur, c'est aujourd'hui le 1er juin 1868. Il y a soixante-quatorze ans, jour pour jour, à cette place même, par 47° 24' de latitude et 17° 28' de longitude, ce navire, après un combat héroïque, démâté de ses trois mâts, l'eau dans ses soutes, le tiers de son équipage hors de combat, aima mieux s'engloutir avec ses trois cent cinquante-six marins que de se rendre, et clouant son pavillon à sa poupe, il disparut sous les flots au cri de : Vive la République !

– Le *Vengeur*! m'écriai-je.

– Oui ! monsieur. Le *Vengeur*! Un beau nom !» murmura le capitaine Nemo en se croisant les bras.

Mes regards ne quittaient plus le capitaine. Lui, les mains tendues vers la mer, considé-

– Le Vengeur ! m'écriai-je.

rait d'un œil ardent la glorieuse épave. Peut-être ne devais-je jamais savoir qui il était, d'où il venait, où il allait, mais je voyais de plus en plus l'homme se dégager du savant. Ce n'était pas une misanthropie[1] commune qui avait enfermé dans les flancs du *Nautilus* le capitaine Nemo et ses compagnons, mais une haine monstrueuse ou sublime que le temps ne pouvait affaiblir.

Cette haine cherchait-elle encore des vengeances ? L'avenir devait bientôt me l'apprendre.

Cependant, le *Nautilus* remontait lentement vers la surface de la mer, et je vis disparaître peu à peu les formes confuses du *Vengeur*. Bientôt un léger roulis m'indiqua que nous flottions à l'air libre.

En ce moment, une sourde détonation se fit entendre. Je regardai le capitaine. Il ne bougea pas.

– Oui ! monsieur. Le Vengeur ! Un beau nom.

---

1. Misanthropie, *n. f.* : haine des hommes.

« Capitaine ? » dis-je.

Il ne répondit pas.

Je le quittai et montai sur la plate-forme. Conseil et le Canadien m'y avaient précédé.

« D'où vient cette détonation ? demandai-je.

– Un coup de canon », répondit Ned Land.

Je regardai dans la direction du navire que j'avais aperçu. Il s'était rapproché du *Nautilus* et l'on voyait qu'il forçait de vapeur. Six milles le séparaient de nous.

« Quel est ce bâtiment, Ned ?

– À son gréement[1], à la hauteur de ses bas mâts, répondit le Canadien, je parierais pour un navire de guerre. Puisse-t-il venir sur nous et couler, s'il le faut, ce damné *Nautilus* !

– Ami Ned, répondit Conseil, quel mal peut-il faire au *Nautilus*? Ira-t-il l'attaquer sous les flots ? Ira-t-il le canonner au fond des mers ?

---

1. Gréement, *n. m.* : ensemble de ce qui est nécessaire pour permettre au navire de naviguer.

– Dites-moi, Ned, demandai-je, pouvez-vous reconnaître la nationalité de ce bâtiment ? »

Le Canadien, fronçant ses sourcils, abaissant ses paupières, plissant ses yeux aux angles, fixa pendant quelques instants le navire de toute la puissance de son regard.

« Non, monsieur, répondit-il. Je ne saurais reconnaître à quelle nation il appartient. Son pavillon n'est pas hissé. Mais je puis affirmer que c'est un grand vaisseau de guerre. Que ce bâtiment nous passe à un mille, je me jette à la mer, et je vous engage à faire comme moi. »

Soudain, une détonation frappa mon oreille.

« Comment ? Ils tirent sur nous ! m'écriai-je. Mais ils doivent bien voir qu'ils ont affaire à des hommes.

– C'est peut-être pour cela ! » répondit Ned Land en me regardant.

Toute une révélation se fit dans mon esprit. Sans doute, on savait à quoi s'en tenir maintenant sur l'existence du prétendu monstre. Sans doute, dans son abordage avec l'*Abraham Lincoln*, lorsque le Canadien le frappa de son harpon, le commandant Farragut avait reconnu que le narval était un bateau sous-marin, plus dangereux qu'un cétacé surnaturel ?

Oui, cela devait être ainsi, et sur toutes les mers, sans doute, on poursuivait maintenant ce terrible engin de destruction !

Le Canadien me dit alors :

« Monsieur, nous devons tout tenter pour nous tirer de ce mauvais pas. Faisons des signaux ! Mille diables ! On comprendra peut-être que nous sommes d'honnêtes gens ! »

Ned Land prit son mouchoir pour l'agiter dans l'air. Mais il l'avait à peine déployé, que, terrassé par une main de fer, malgré sa force prodigieuse, il tombait sur le pont.

« Misérable, s'écria le capitaine, veux-tu donc que je te cloue sur l'éperon du

Nautilus avant qu'il ne se précipite contre ce navire ! »

À ce moment, un boulet frappant obliquement la coque du *Nautilus*, sans l'entamer, et passant par ricochet près du capitaine, alla se perdre en mer.

Le capitaine Nemo haussa les épaules. Puis, s'adressant à moi :

« Descendez, me dit-il d'un ton bref, descendez, vous et vos compagnons.

– Monsieur, m'écriai-je, allez-vous donc attaquer ce navire ?

– Monsieur, je vais le couler. »

Je descendis au moment où un nouveau projectile éraillait[1] encore la coque du *Nautilus*, et j'entendis le capitaine s'écrier :

« Frappe, navire insensé ! Prodigue tes inutiles boulets ! Tu n'échapperas pas à l'éperon du *Nautilus*. Mais ce n'est pas à cette place que tu dois périr ! Je ne veux pas que

Frappe, navire insensé !

---

1. Érailler : érafler.

tes ruines aillent se confondre avec les ruines du *Vengeur*! »

Je voulus intervenir une dernière fois. Mais j'avais à peine interpellé le capitaine Nemo, que celui-ci, m'imposant silence :

« Je suis le droit, je suis la justice ! me dit-il. Je suis l'opprimé, et voilà l'oppresseur ! C'est par lui que tout ce que j'ai aimé, chéri, vénéré, patrie, femme, enfants, mon père, ma mère, j'ai vu tout périr ! Tout ce que je hais est là ! Taisez-vous ! »

Je portai un dernier regard vers le vaisseau de guerre qui forçait de vapeur. Puis, je rejoignis Ned et Conseil.

La nuit arriva. Un profond silence régnait à bord. La boussole indiquait que le *Nautilus* n'avait pas modifié sa direction. J'entendais le battement de son hélice qui frappait les flots avec une rapide régularité. Il se tenait à la surface des eaux, et un léger roulis le portait tantôt sur un bord, tantôt sur un autre.

Ce terrible jour du 2 juin se levait. À cinq heures, la vitesse du *Nautilus* s'accrut sensiblement. C'était son élan qu'il prenait ainsi. Toute sa coque frémissait.

Soudain, je poussai un cri. Un choc eut lieu, mais relativement léger. Je sentis la force pénétrante de l'éperon d'acier. J'entendis des éraillements, des raclements. Mais le *Nautilus*, emporté par sa puissance de propulsion, passait au travers de la masse du vaisseau.

Je ne pus y tenir. Fou, éperdu, je m'élançai hors de ma chambre et me précipitai dans le salon.

Le capitaine Nemo était là. Muet, sombre, implacable, il regardait par le panneau de bâbord.

Une masse énorme sombrait sous les eaux, et pour ne rien perdre de son agonie, le *Nautilus* descendait dans l'abîme avec elle. À dix mètres de moi, je vis cette coque entrouverte, où l'eau s'enfonçait avec un bruit de tonnerre, puis la double ligne des canons et les bastingages. Le pont était couvert d'ombres noires qui s'agitaient.

L'énorme vaisseau s'enfonçait lentement. Le *Nautilus*, le suivant, épiait tous ses mouvements. Tout à coup, une explosion se produisit. L'air comprimé fit voler les ponts du bâtiment comme si le feu eût pris aux soutes. La poussée des eaux fut telle que le *Nautilus* dévia.

Puis la masse sombre disparut.

Alors le malheureux navire s'enfonça plus rapidement. Ses hunes[1], chargées de victimes, apparurent, ensuite ses barres, pliant sous des grappes d'hommes, enfin le sommet de son grand mât. Puis, la masse sombre disparut, et avec elle cet équipage de cadavres entraînés par un formidable remous...

Je me retournai vers le capitaine Nemo. Ce terrible justicier regardait toujours. Quand

---

1. Hune, *n. f.* : partie supérieure des mâts.

tout fut fini, le capitaine Nemo, se dirigeant vers la porte de sa chambre, l'ouvrit et entra. Je le suivis des yeux.

Sur le panneau du fond, au-dessous des portraits de ses héros, je vis le portrait d'une femme jeune encore et de deux petits enfants. Le capitaine Nemo les regarda pendant quelques instants, leur tendit les bras, et, s'agenouillant, il fondit en sanglots.

VINGT MILLE
LIEUES SOUS LES MERS

17

Les panneaux s'étaient refermés sur cette vision effrayante, mais la lumière n'avait pas été rendue au salon. À l'intérieur du *Nautilus*, ce n'étaient que ténèbres et silence. Il quittait ce lieu de désolation, à cent pieds sous les eaux, avec une rapidité prodigieuse. J'éprouvais une insurmontable horreur pour le capitaine Nemo. Quoi qu'il eût souffert de la part des hommes, il n'avait pas le droit de punir ainsi. Il m'avait fait, sinon le complice, du moins le témoin de ses vengeances ! C'était déjà trop.

À onze heures, la clarté électrique réapparut. Je passai dans le salon. Il était désert. Je consultai les divers instruments. Le *Nautilus* fuyait dans le nord avec une rapidité de vingt-cinq milles à l'heure, tantôt à la surface de la mer, tantôt à trente pieds au-dessous.

Cette course aventureuse du *Nautilus* dans l'Atlantique nord se prolongea pendant quinze ou vingt jours, et je ne sais ce qu'elle aurait duré, sans la catastrophe qui termina ce voyage. Du capitaine Nemo, il n'était plus question. De son second, pas davantage. Pas un homme de l'équipage ne fut visible un seul instant.

Un matin – à quelle date, je ne saurais le dire –, je m'étais assoupi vers les premières heures du jour. Quand je m'éveillai, je vis Ned Land se pencher sur moi, et je l'entendis me dire à voix basse : « Nous allons fuir ! »

Je me redressai.

« Quand fuyons-nous ? demandai-je.

– La nuit prochaine. Toute surveillance semble avoir disparu du *Nautilus*. Vous serez prêt, monsieur ?

– Oui. Où sommes-nous ?

– En vue de terres que je viens de relever ce matin au milieu des brumes, à vingt milles dans l'est.

– Quelles sont ces terres ?

– Je l'ignore, mais quelles qu'elles soient, nous nous y réfugierons. »

J'étais décidé à tout. Le Canadien me quitta. Je gagnai la plate-forme, sur laquelle je pouvais à peine me maintenir contre le choc des lames. Le ciel était menaçant, mais puisque la terre était là dans ces brumes épaisses, il fallait fuir. Nous ne devions perdre ni un jour ni une heure.

Je revins au salon, craignant et désirant tout à la fois de rencontrer le capitaine Nemo, voulant et ne voulant plus le voir. Que lui aurais-je dit ? Pouvais-je lui cacher l'involontaire horreur qu'il m'inspirait !

Combien fut longue cette journée, la dernière que je dusse passer à bord du *Nautilus*! Je restais seul.

À six heures et demie, Ned Land entra dans

Je revis dans un rapide souvenir toute mon existence à bord du Nautilus.

ma chambre. Il me dit : « Nous ne nous reverrons pas avant notre départ. À dix heures, la lune ne sera pas encore levée. Nous profiterons de l'obscurité. Venez au canot. Conseil et moi, nous vous y attendrons. »

Puis, je revins à ma chambre. Là, je revêtis de solides vêtements de mer. Je rassemblai mes notes et les serrai précieusement sur moi.

J'entendis un bruit de pas. Le capitaine Nemo était là. Il ne s'était pas couché. À chaque mouvement, il me semblait qu'il allait m'apparaître et me demander pourquoi je voulais fuir ! Je revis dans un rapide souvenir toute mon existence à bord du *Nautilus*, tous les incidents heureux ou malheureux qui l'avaient traversée depuis ma disparition de l'*Abraham Lincoln*. Cependant, dix heures allaient sonner. Le moment était venu de quitter ma chambre et de rejoindre mes compagnons.

Je montai l'escalier central, et, suivant la

coursive supérieure, j'arrivai au canot. J'y pénétrai par l'ouverture qui avait déjà livré passage à mes deux compagnons.

L'orifice évidé dans la tôle du *Nautilus* fut préalablement fermé et boulonné au moyen d'une clef anglaise dont Ned Land s'était muni. L'ouverture du canot se ferma également, et le Canadien commença à dévisser les écrous qui nous retenaient encore au bateau sous-marin.

Soudain un bruit intérieur se fit entendre. Des voix se répondaient avec vivacité. Qu'y avait-il ? S'était-on aperçu de notre fuite ? Je sentis que Ned Land me glissait un poignard dans la main. « Oui ! murmurai-je, nous saurons mourir ! »

Le Canadien s'était arrêté dans son travail. Mais un mot, vingt fois répété, un mot terrible, me révéla la cause de cette agitation qui se propageait à bord du *Nautilus*. Ce n'était pas à nous que son équipage en voulait !

« Maelström ! Maelström ! » s'écriait-il.

S'était-on aperçu de notre fuite ?

Le maelström ! Un nom plus effrayant dans une situation plus effrayante pouvait-il retentir à notre oreille ? Nous trouvions-nous donc sur ces dangereux parages de la côte norvégienne ? Le *Nautilus* était-il entraîné dans ce gouffre, au moment où notre canot allait se détacher de ses flancs ?

On sait qu'au moment du flux[1], les eaux resserrées entre les îles Feroë et Loffoden sont précipitées avec une irrésistible violence. Elles forment un tourbillon dont aucun navire n'a jamais pu sortir. De tous les points de l'horizon accourent des lames monstrueuses. Elles forment ce gouffre justement appelé le « Nombril de l'Océan », dont la puissance d'attraction s'étend jusqu'à une distance de quinze kilomètres. Là sont aspirés non seulement les navires, mais les baleines, mais aussi les ours blancs des régions boréales.

C'était là que le *Nautilus* – involontaire-

---

1. Flux, *n. m.* : mouvement de la mer à la marée montante.

ment ou volontairement peut-être – avait été engagé par son capitaine. Il décrivait une spirale dont le rayon diminuait de plus en plus. Ainsi que lui, le canot, encore accroché à son flanc, était emporté avec une vitesse vertigineuse. Je le sentais.

« Il faut tenir bon, dit Ned, et revisser les écrous ! En restant attachés au *Nautilus*, nous pouvons nous sauver encore...! »

Il n'avait pas achevé de parler, qu'un craquement se produisait. Les écrous manquaient, et le canot, arraché de son alvéole, était lancé comme la pierre d'une fronde au milieu du tourbillon.

Ma tête porta sur une membrure de fer, et, sous ce choc violent, je perdis connaissance.

Ce qui se passa pendant cette nuit, comment le canot échappa au formidable remous du maelström, comment Ned Land, Conseil et moi, nous sortîmes du gouffre, je ne saurais le dire. Mais quand je revins à moi, j'étais couché dans la cabane d'un pêcheur des îles Loffoden. Mes deux compagnons, sains et saufs, étaient près de moi.

Mais qu'est devenu le *Nautilus*? A-t-il résisté aux étreintes du maelström ? Le capitaine Nemo vit-il encore ?

Je l'espère. J'espère également que son puissant appareil a vaincu la mer dans son gouffre le plus terrible, et que le *Nautilus* a survécu là où tant de navires ont péri ! S'il en est ainsi, si le capitaine Nemo habite toujours cet Océan, sa patrie d'adoption, puisse la haine s'apaiser dans ce cœur farouche ! Que la contemplation de tant de merveilles éteigne en lui l'esprit de vengeance ! Que le justicier s'efface, que le savant continue la paisible exploration des mers ! Si sa destinée est étrange, elle est sublime aussi. Ne l'ai-je pas compris par moi-même ? N'ai-je pas vécu dix mois de cette existence extraordinaire en parcourant en compagnie de cet homme vingt mille lieues sous les mers !

Table des matières

Jules Verne,

est né en 1828 à Nantes.
À onze ans, il s'embarque comme mousse sur la *Coralie,*
un trois-mâts en partance pour les Indes.
Rattrapé par son père et sévèrement réprimandé, il promet :
« Je ne voyagerai plus qu'en rêve. »
Du moins pendant son enfance !
À trente-quatre ans, c'est le début du succès
avec *Cinq Semaines en ballon.*
Sa vie s'organise autour de trois pôles :
les voyages, la lecture et l'écriture.
En avril 1867, il fait une croisière aux États-Unis
sur le *Great Eastern,* grand navire à roues.
Au retour, il se plonge dans *Vingt Mille Lieues sous les mers,*
dont il écrit une partie sur son voilier, le *Saint-Michel,*
son « cabinet de travail flottant ».
En même temps, il effectue des croisières sur la Manche,
parcourt les côtes bretonne, normande et anglaise :
« Quel aliment pour l'imagination ! » écrit-il à son éditeur.
Jules Verne a publié plus de quatre-vingts romans,
dans lesquels se mêlent l'aventure et le voyage,
les découvertes scientifiques et la « vision »
de quelques conquêtes de la science, comme le voyage dans
l'Espace… Il est l'écrivain français
le plus traduit dans le monde.

DU MÊME AUTEUR :

Quelques titres parmi les plus célèbres :
Les Enfants du capitaine Grant (1867)
Le Tour du monde en quatre-vingts jours (1873)
L'Île mystérieuse (1874)
Michel Strogoff (1876)
Mathias Sandorf (1885)
Deux Ans de vacances (1888)

Gabor Szittya

INFLUENCES
Tout ce qui bouge…
J'ai même une mauvaise influence sur moi-même ;
quelques nuits, je ris tout seul…

AMOURS
J'aime les bêtes et les gens qui ne sont pas bêtes.
Mon grand amour : la vie.

HAINES
Je la laisse aux misanthropes
et pour Lucifer.

PARCOURS
Quand j'avais trois ans, j'ai trouvé un crayon
et, depuis, j'ai oublié où il faut le ranger.

ENVIES
Un monde meilleur.
Que tous les jours soient Noël.

DÈS 9 ANS

5. *Gaël et Réséda* • Dominique Buisset
16. *Les malheurs de Sophie*
    Comtesse de Ségur
25. *Le 397ᵉ éléphant blanc* • René Guillot
33. *Les nougats* • Claude Gutman
34. *Le dragon déglingué*
    Jean-Loup Craipeau
50. *L'inventeur* • René Escudié
56. *À l'abordage, Mamadou Courage !*
    Jean-Loup Craipeau
63. *Augustin et Amandine*
    Geneviève Le Moal
66. *Le club des secrets* • Elsa Devernois
69. *Sale temps pour les grenouilles !*
    Gilles Fresse
81. *Gillou et les oscars* • Yak Rivais
85. *L'homme au chapeau*
    Sarah Cohen-Scali
96. *Les Petites filles modèles*
    Comtesse de Ségur
100. *Les Disparus de l'Éclipse*
    Gilles Fresse
105. *Les Vacances* • Comtesse de Ségur
107. *Drôle d'endroit pour des vacances*
    Jo Hoestlandt
116. *L'Îlôt-Trésor de la mère Surcouf*
    Jean-Marie Mulot

DÈS 10-11 ANS

6. *Cabot-Caboche* • Daniel Pennac
7. *L'œil du loup* • Daniel Pennac
8. *Opération Marcellin* • Claire Mazard
12. *Croc-Blanc* • Jack London
13. *Vingt mille lieues sous les mers*
    Jules Verne
15. *Le fil à retordre* • Claude Bourgeyx
18. *Kerri et Mégane :*
    Les Mange-Forêts • Kim Aldany
26. *Sur la piste du loup* • Daniel Meynard
27. *Gazoline et Grenadine*
    Jean-Loup Craipeau
35. *Le renard de Morlange*
    Alain Surget

37. *La rédac* • Évelyne Reberg
41. *Pinocchio* • Carlo Collodi
44. *Le redoublant* • Claire Mazard
47. *Le secret de la falaise*
    Yves Pinguilly
48. *Racamiel et Rigobert*
    François Sautereau
49. *La ballade d'Aïcha* • Robert Boudet
53. *Kerri et Mégane : Les Transmiroirs*
    Kim Aldany
57. *Prisonniers des sables*
    Yves-Marie Clément
58. *Pour l'amour de la Marie-Étoile*
    Sylvie Queyron
59. *Un alligator pour la vie*
    François Zabaleta
64. *Mes chers voisins* • Gérard Moncomble
65. *Le puma aux yeux d'émeraude*
    Yves-Marie Clément
73. *Sous une bonne étoile*
    Daniel Meynard
75. *Dur, dur d'être top model !*
    Michel Amelin
76. *Kerri et Mégane : Brocantic-Trafic*
    Kim Aldany
80. *Les sept scarabées*
    Gérard Moncomble
82. *Kerri et Mégane : La ruche de glace*
    Kim Aldany
83. *À la vie, à la...* • Marie-Sabine Roger
84. *Grosses têtes et petits pieds*
    Claude Bourgeyx
86. *Le sourire d'Anaïs*
    Nadine Brun-Cosme
90. *L'enfant volé* • François David
92. *Un bon petit diable*
    Comtesse de Ségur
93. *Kerri et Mégane :*
    le Donjon de Malmort
    Kim Aldany
95. *Le livre de la Jungle*
    Rudyard Kipling
98. *On a un monstre dans la classe*
    Gudule

Découvre aussi dans Planète Lune,
Pour les 9-13 ans, Contes et Légendes, la collection de la mémoire du monde :
contes et légendes des régions, de l'histoire du monde et des civilisations, et
contes et récits de l'aventure des hommes et de leurs exploits techniques et scientifiques.
Et les romans policiers et fantastiques de « Lune Noire ».
Pour les 7-9 ans, les premiers vrais romans de « Demi-Lune ».
Pour les 5-7 ans, les histoires de « Première Lune ».
Pour les 3-5 ans, les histoires d' « Étoile Filante ».

N° d'éditeur 10088118 – (IX) – 32,5 – OSBB 90°
Dépôt légal Septembre 2001 – MAME Imprimeurs à Tours (n°01072121)

ISBN 2-09-282101-6